W0177881

_alfred hitchcock_

Alfred Hitchcock

# Die drei ???
# Todesflug

erzählt von Ben Nevis

Kosmos

Umschlagillustration von Silvia Christoph, Berlin.
Umschlaggestaltung von Aiga Rasch, Leinfelden-Echterdingen

 **kosmos**

**Bücher · Videos · CDs
Kalender · Experimentier-
kästen · Spiele · Seminare**
Natur • NaturReiseführer • Garten- und
Zimmerpflanzen • Heimtiere • Astronomie
• Pferde & Reiten • Kinder- und Jugendbuch
• Eisenbahn/Nutzfahrzeuge
Informationen senden wir Ihnen gerne zu:
KOSMOS Verlag · Postfach 10 60 11 · 70049 Stuttgart
Telefon 07 11/21 91-0 · Fax 07 11/21 91-4 22

Dieses Buch folgt den Regeln der neuen Rechtschreibung.

Die Deutsche Bibliothek – CIP-Einheitsaufnahme

**Nevis, Ben:**
Die drei ??? – Todesflug / erzählt von Ben Nevis. Alfred Hitchcock. –
Stuttgart : Kosmos, 2000
ISBN 3-440-08015-3

© 2000, Franckh-Kosmos Verlags-GmbH & Co., Stuttgart
Based on characters by Robert Arthur. This work published by arrangement
with Random House, Inc.
Alle Rechte vorbehalten
ISBN 3-440-08015-3
Printed in Czech Republic / Imprimé en République tchèque
Satz: Hahn Medien GmbH, Kornwestheim
Herstellung: Finidr s.r.o., Český Těšín

# Die drei ???
# Todesflug

# Vierzehn

»Es ist wirklich zum Abheben!« Wütend trat Peter gegen den Kotflügel des Geländewagens. »Der Motor ist abgereckt!«, rief er. »Schluss! Aus! Wir sind am Ende!«

»So viel Pech auf einmal ist statistisch gesehen absolut unwahrscheinlich«, kommentierte Justus trocken. Bewusst lässig ließ er die Wagentür zufallen und zog den breitkrempigen Hut, den er zum Schutz gegen die stechende Sonne aufgesetzt hatte, tiefer in die Stirn. »Na, dann ist die Fahrt zum summenden Berg wohl endgültig gestorben.« Langsam stapfte er durch den heißen Sand zu Peter hinüber. »Lass mich mal sehen, was passiert ist.«

»Als ob du das besser wüsstest als ich!« Peter legte seine Hand auf die Fronthaube, zog sie aber sofort wieder zurück. »Aua! Diese verdammte Sonne! Just, hilf mir, wir stemmen die Haube zusammen hoch.«

Vorsichtig packte Justus mit an und gemeinsam blickten sie auf das, was in der Werbung als ein Wunderwerk allerneuster Motorentechnik galt.

»Bestimmt Kolbenfresser«, stellte Peter fest.

Justus nickte wortlos. Es hatte einige laute Schläge im Motor gegeben. Peters Diagnose war zweifellos richtig.

»Kolbenfresser, was heißt das?«, fragte Bob. Er war der dritte im Bunde der jungen Detektive und hatte bisher die Rückbank des Geländewagens gehütet, da ihm draußen die Sonne zu sehr brannte. Jetzt klappte er den Vordersitz nach vorne und stieg umständlich aus dem Auto.

»Kolbenfresser – das bedeutet ganz einfach: Wir benötigen ab sofort eine Menge Glück, sonst werden wir hier in der Wüste qualvoll verdursten.« Justus stellte das nüchtern fest, wie es seine Art war. Aber die Schweißperlen standen ihm auf der Stirn, und dies nicht nur wegen der Sonne.

»Oh, Justus! Wie kannst du nur so ruhig bleiben!«, fuhr Bob ihn an. »Um uns herum ist nichts als eingetrockneter Lehm, kochend heißer Sand und absolute Einsamkeit! Mensch, wir sind mitten in der Wüste! Wir haben uns verirrt! Ein kaputtes Auto! Ein defektes Funkgerät! Warum musstest du auch deine Cola drüberschütten, Peter!« Er schnappte nach Luft.

Jetzt hakte Justus ein. »Das hilft uns doch nicht weiter«, beschwichtigte er. »Verschwende nicht deine Energie, Bob. Wir werden unsere Kräfte noch dringend brauchen!«

»Unsere Kräfte? Um den Wagen hundert Kilometer in Richtung Westküste zu schieben?«, warf Peter lakonisch ein. Er kickte mit dem Fuß in den heißen Sand, dass der Staub aufstob. »Spätestens nach einem Kilometer sind wir am Ende!«

»Immerhin haben wir noch eine ganze Box Wasser!« Justus zog an seiner Unterlippe und überlegte. »Dieser Vorrat sollte zumindest zwei Tage reichen. Bob, schau doch mal nach, ich glaube, es war ein 20-Liter-Kanister.«

Während Bob im Geländewagen verschwand, prüfte Justus den Sonnenstand. »Westen müsste dort sein«, sagte er und wies auf einen rötlich schimmernden Höhenzug, der einige Kilometer entfernt lag. »Wenn wir das Auto hier lassen, könnten wir es in zwei Tagen bis in bewohntes Gebiet schaffen.«

»Ohne mich!« Peter schüttelte den Kopf. »Auf deine Ortsangaben verlasse ich mich nicht mehr!«

In dem Moment schrie Bob laut auf. Er kniete auf der Rückbank und richtete sich entsetzt auf. Justus rannte zu ihm und riss die Beifahrertür auf. »Was ist los, Bob, ein Skorpion? Eine Todesspinne?«

»Schlimmer, viel schlimmer.« Bobs Stimme klang weinerlich. Vorsichtig hob er die Decke auf der Rückbank hoch. Sie war klatschnass.

»Oh nein!«, murmelte Justus.

Bob zog den Wasserkanister hervor und schüttelte ihn. »So gut wie leer, Kollegen! Umgekippt und ausgelaufen!«

Justus nahm ihm die Box ab und untersuchte sie. Sofort fand er den Fehler: Der Deckel war falsch aufgeschraubt. Justus machte sich daran, die nassgesogene Decke vorsichtig über der Kanisteröffnung auszuwringen. Es störte ihn wenig, dass das Wasser nicht mehr ganz sauber war. Als er fertig war, blickte er in die Box. »Mehr als zwei Liter dürften nicht mehr drin sein«, sagte er mit tonloser Stimme und verschloss den Kanister sorgfältig. Dann ging er um den Wagen herum, öffnete die Heckklappe und verstaute die Box zwischen den Schlafsäcken. »So, jetzt kann nichts mehr passieren.«

»He, was machst du da, ich brauch mal einen Schluck«, rief Bob und kletterte aus dem Wagen.

»Nein!« Energisch schlug Justus die Heckklappe zu. »Eiserne Notration! Komm, Bob, zieh deinen Hut auf. Sonst siehst du im Gesicht bald so rot gescheckt aus wie Peter.«

Dem Zweiten Detektiv waren die Hüte von Onkel Titus nicht modisch genug gewesen und er hatte nur seine Baseballkappe eingepackt. Je nachdem wie er sie aufzog, brannte ihm die Sonne nun entweder auf die Stirn oder auf den Hals. Beide Stellen hatten sich inzwischen empfindlich gerötet.

»Na, dann lasst uns mal die Lage besprechen«, schlug Bob vor und setzte seinen Hut auf.

»Okay.« Wie ein Sandsack ließ Justus seinen schweren Körper in den schmalen Streifen Schatten fallen, den der Wagen seitlich spendete. Während er in die von der Sonne flimmernde Ebene starrte, arbeitete sein Gehirn auf Hochtouren. Schon oft hatte er durch intensives Nachdenken einen Ausweg aus schwierigen Situationen gefunden. Doch heute drehten sich alle seine Gedanken im Kreis.

Die drei ??? waren den zweiten Tag unterwegs. Vor Ablauf einer Woche würde sie niemand vermissen. Diese Zeitspanne hatten sie für ihre Tour nach Nevada eingeplant, wo sie ein Filmfestival für Sciencefictionfilme besuchen wollten. Justus dachte an die letzte Nacht, die sie in einem kleinen billigen Hotel in Barstow verbracht hatten. Alles hatte damit begonnen, dass in der Herberge ein angetrunkener Durchreisender von einem abseits in der Wüste gelegenen Berg berichtet hatte. »Das Merkwürdige war, dass der Berg summte«, hatte der Mann so laut gerufen, dass es alle im Speiseraum hören konnten. »Richtig summte, als ob er beben würde. Und auch Blitze waren zu sehen! Ihr glaubt mir doch, oder?«

Die anderen Gäste des kleinen Hotels hatten ihn ausgelacht. »Außer toten Goldgräbern und ihren eingefallenen Bergstollen gibt es dort nichts mehr zu besichtigen«, hatte der Wirt schließlich gerufen. Dann hatte sich der Mann dem Tisch von Justus, Peter und Bob genähert. »Wenigstens ihr glaubt mir doch«, hatte er genuschelt, »der Berg summte. Ja, so war es. Oder denkt ihr etwa, dass ich betrunken bin?«

»Gewiss nicht, Sir«, hatte Justus erklärt, obwohl er sich nicht ganz sicher war.

Als sie spät am Abend endlich auf ihr Zimmer kamen, hatte Bob vorgeschlagen, eine Abkürzung durch die Mojawewüste zu nehmen, in der nach der Erzählung des Mannes der summende Berg liegen sollte. Schließlich hätten sie ja einen guten Geländewagen dabei, und so ein kleines Geheimnis am Wegesrand wäre nicht zu verachten ...

Justus' Gedanken kreisten weiter um die Zufälle, die sie mitten in die Wüste geführt hatten. Am Morgen waren sie losgefahren. Nachdem dann bei einem kurzen Stopp der Wind ihre Landkarte weggeweht hatte und Justus sicher gewesen war, er würde auch mit Hilfe seiner Logik den richtigen Weg finden, hatten sie sich gründlich verirrt. Ein paar Stunden später hatte Peter die Cola über das Funkgerät geschüttet, kurz darauf war die Sache mit dem Motor passiert und nun saßen sie zu allem Übel auch noch auf dem Trockenen. Eine brenzlige Situation.

»Wenn wir uns nicht mehr bei unseren Eltern melden, werden sie sich Sorgen machen«, ergriff Peter das Wort und ließ etwas Sand durch die Hände rieseln. »Und uns suchen.«

Der Erste Detektiv schüttelte zweifelnd den Kopf. »Ich habe auch schon daran gedacht. Aber eure Eltern und auch Onkel Titus und Tante Mathilda sind es leider gewohnt, dass wir uns hin und wieder herumtreiben. So angenehm das sonst auch sein mag, dieses Mal könnte es von Nachteil sein.«

Peter seufzte. »Ich fürchte, du hast Recht. Und selbst wenn sie uns vermissen: Sie würden uns am falschen Ort vermuten. Noch nicht einmal wir selbst wissen ja genau, wo wir eigentlich sind.«

»Es muss in der Nähe der alten verlassenen Bergwerke sein«, überlegte Bob. »Dort, wo der summende Berg liegt.«

»Wie kommst du darauf?«, fragte Justus skeptisch.

»Mein Ortsgefühl sagt mir das. Die Beschreibung, die der betrunkene Mann gegeben hat, passt auf den Höhenzug.« Inzwischen war Bob die Ruhe selbst. »Und wenn das so ist«, folgerte er, »dann war der Mann mit seinem Geländewagen gestern in dieser Gegend. Wir sollten die Hoffnung also nicht aufgeben. Vielleicht findet uns ein anderer Wüstentourist oder, was noch schöner wäre, ein mobiler Getränkeverkäufer. Hm, Wasser wäre toll.«

»Das wäre immerhin eine Möglichkeit«, sagte Justus. »Das mit dem Touristen«, präzisierte er. »Aber dann bitte bald! Ohne Wasser sind wir spätestens morgen Abend verdurstet. Bei dieser Hitze braucht man sehr viel Flüssigkeit.«

»Vielleicht sollten wir doch langsam etwas trinken.« Bob konnte allmählich kaum noch an etwas anderes denken. »Ich glaube, erst wird einem schwindelig, dann setzt langsam das Gehirn aus . . .«

»Wir können den nächtlichen Tau einfangen«, schlug Peter vor.

»Und unseren eigenen Urin trinken«, sagte Bob. »Ich habe gelesen, wie man ihn vorher in der Erde reinigt.«

»Auäh!« Angeekelt wandte Peter sich ab. »Was liest du eigentlich für Bücher, Bob?«

»Spätestens in ein paar Stunden wirst du mir sehr dankbar sein«, sagte Bob etwas beleidigt. »Und auf Knien vor mir rutschen.« Er stand auf. »Wie ging das noch? Als Erstes braucht man eine Plastikplane.«

»Hinten im Auto müssten welche sein!« Justus erhob sich ebenfalls und stapfte mit Bob zur Heckklappe des Geländewagens. »Versuchen wir, was Sinnvolles zu tun. Rumhängen hilft auch nicht weiter.«

Peter blieb sitzen. »Ich muss aber leider nicht pinkeln!«, erklärte er trotzig und lamentierte gleich weiter: »Warum sind wir nicht einfach auf dem Highway gefahren? Bob, jetzt hast du dein verdammtes Wüstenabenteuer! Hätten wir doch bei dieser blöden Geschichte von dem summenden Berg einfach weggehört!«

Justus, der gerade ein Bündel von der Ladefläche gehoben hatte, warf es wütend in den Sand. »Peter! Halt die Klappe!«, rief er. »Wir sind doch alle schuld. Bob hat ein Geheimnis gewittert, du killst mit deiner Cola das Funkgerät und ich, äh ...«

»Ja, Erster?«

»... äh, ich, nun ja, ich dachte eben, wir kämen auch ohne Karte ...«

»Ja, ja, Kollege.« Peter deutete auf das Bündel, das Justus heruntergeworfen hatte. »Was hast du da eigentlich aus dem Auto gezogen Just? Schau doch, da ist ja was rausgerollt, sieht aus wie ...« Peter sprang auf. »... das sind ja Leuchtraketen!«

»Tatsächlich!« Justus bückte sich und zog die Patronen aus dem Sand. Auch eine Abschusspistole war herausgefallen. »Diese Gerätschaften müssen noch von deinem Vater dringewesen sein, Peter, bevor er uns den Wagen ausgeliehen hat.« Mit einem wuchtigen Schlag schloss Bob die Heckklappe. »Vielleicht sind die Leuchtraketen der Beginn unserer Rettung!«, rief er aus.

»Das wäre fast zu schön, um wahr zu sein«, sagte Justus und

drehte die Patronen in seiner Hand. »Fünf Stück. Eigentlich könnten wir gleich eine opfern.«

»Und sie schon jetzt zünden?«, fragte Bob aufgeregt.

»Ich bin dafür«, meldete sich Peter.

»Also gut«, sagte Justus. »Welche Farbe?«

»Rot.«

Vorsichtig legte Justus die Patrone in die Pistole ein. Dann zielte er in den Himmel und begann wie bei einem Countdown rückwärts zu zählen. Die beiden anderen fielen ein. ». . . acht, sieben, sechs, fünf, vier, drei, zwei, eins, null und Feuer!«

Mit einem lauten Pfeifton stob die Patrone davon. Die drei Detektive sahen ihr hinterher. Ein helles Licht, das einen Bogen am wolkenlosen Himmel beschrieb und wie ein Komet einen Schweif hinter sich herzog. Viel zu schnell war der Flug wieder vorbei.

»Hat das denn niemand bemerkt?« Bob sah sich um, als würde er Hunderte von Rettern erwarten, die von allen Seiten auf sie zuströmten.

Doch nichts geschah. Flirrende Hitze. Aufgewehte Wanderdünen. In der Ferne der Höhenzug. Auf halbem Weg glänzte ein ausgetrockneter Salzsee. Kein Lebewesen war zu sehen. Eine bedrückende Stille. Kein Windhauch. Nichts. Der Rauch der Leuchtrakete stand noch eine Weile am Himmel, bevor er sich langsam auflöste.

»Wo bleibt ihr denn«, schrie Peter in die Ruhe hinein. »Rettet uns!«

# Dreizehn

In dem Moment donnerte es. Es klang wie ein entferntes Gewitter, doch das Grollen wurde sehr schnell lauter. Die Jungen drehten sich in die Richtung, aus der der Lärm zu ihnen heranschoss. Fast gleichzeitig flog ein Schatten dicht über ihren Köpfen hinweg. Erschrocken zuckten sie zusammen. Ein starker Luftstoß folgte, der den Sand aufwirbelte, begleitet von einem unbeschreiblichen Krachen. Als die Sandwolke sich legte und der Himmel wieder klar wurde, sahen die drei Detektive, wie ein kleines, klobiges Flugzeug nur wenige Kilometer entfernt eine Kurve beschrieb. Es flog so tief über dem Boden, dass den Detektiven kurz darauf eine Wanderdüne die weitere Sicht nahm.

»Verdammtes Militär«, schimpfte Peter los und rieb sich den Sand aus den Augen.

Bob hielt sich noch immer die Ohren zu. »Fetzen die hier mit ihren Tieffliegern durch. Unglaublich!«

»Aber es hatte nicht die offiziellen Air-Force-Zeichen, durch die man die Flugzeuge identifizieren kann.« Justus hustete. »Bestimmt ein neues Modell, das die hier austesten. Es sah auch so komisch aus. Dicker als gewöhnliche Flugzeuge. Und erst diese auffällige Dreiecksform.«

»Ob der Pilot uns bemerkt hat?« Peters Augen blitzten hoffnungsvoll auf.

Doch Justus brachte ihn zurück auf den Boden der Tatsachen.

»Das glaube ich kaum«, antwortete er. »Er war zu schnell, obwohl er unterhalb der Schallgeschwindigkeit geflogen ist. Sonst hätten wir ihn vorher auch nicht gehört. Er mag uns gesehen haben, aber unsere Notlage dürfte er schwerlich erkannt haben.«

»Wahrscheinlich hast du Recht.« Peter nickte und hob seine Baseballkappe auf, die ihm der Windstoß vom Kopf gefegt hatte. »Sah fast so aus, als ob er dahinten gelandet wäre, Just.«

Auch Bob sah in die Richtung, in der das merkwürdige Flugzeug verschwunden war. »Schade, dass wir die Leuchtrakete nicht kurze Zeit später gezündet haben«, seufzte er. »Die hätte er wohl nicht übersehen können.«

»Immerhin haben wir noch vier Stück!«, gab sich Peter bewusst optimistisch. »Die nächste zünden wir, wenn es etwas dunkler ist. Dann sieht man sie besser, und vielleicht macht der Pilot ja noch einen Nachtflug.«

»Am besten schießen wir das nächste Mal von der Sanddüne aus.« Justus deutete auf einen Berg von angewehtem Sand. »Ich wollte sowieso mal hochsteigen. Vielleicht kann man von dort aus etwas erkennen.«

Bobs Blick klebte immer noch am Horizont. »War fast wie in meinem Computerspiel«, murmelte er. »Aber dann hätte er uns ausgelöscht.«

»Was redest du da?«, fragte Peter. »Dein Computerspiel? Hör doch damit auf. Seitdem du dauernd vor dem Bildschirm hängst, bekommen wir dich ja kaum noch zu sehen. Ohnehin ein Wunder, dass wir dich zu unserer Reise nach Nevada überreden konnten.« Er bemerkte Bobs verärgerten Blick. »Ich meine es doch nur gut mit dir!«

»Du bist ja schon wie meine Eltern«, blaffte Bob ihn dafür an. »Die meckern auch dauernd an irgendetwas herum.«

»Bob, schau mich an«, erklärte Justus. »Ich hocke zwar auch ab und zu vorm Computer herum. Ich weiß aber, wie ich die Kiste wieder auskriege.«

Bob schüttelte nur den Kopf. »Du bist auch nicht viel besser, Justus Jonas! Und überhaupt, das Spiel, das ich entdeckt habe, ist wirklich spannend. Man kann sich im Internet einloggen, aber nur, wenn man clever ist und den Eingang findet.«

»Es ist so eine Art geheimer Club, oder wie?«, fragte Peter nach.

»Naja, jeder kommt wirklich nicht rein. Und selbst wenn man es geschafft hat: Nach dem Einstieg muss sich der Neuling langsam hochdienen. Man beginnt als schutzloser Mensch, der von Flugzeugen gejagt wird. Aber man kann sich wehren, mit einfachen Mitteln. Und wenn man endlich ein Flugzeug erwischt hat, bekommt man eine Laserwaffe. Damit müssen dann drei Flugzeuge getroffen werden, damit man selbst Pilot werden darf. Allerdings erst mal nur von einer wirklich lahmen Propellerkiste, die selbst wieder gejagt wird.«

»Wovon?«, fragte Justus. »Von den schnellen Düsenjets?«

Bob nickte. Er war bei seinem derzeitigen Lieblingsthema. »Davon gibt es allerdings mehrere Klassen. Es geht immer weiter aufwärts, je mehr Flugzeuge man getroffen hat, bis zu den allermodernsten Maschinen. Und jeder, der gerade angedockt ist, fliegt mit. Das sind weltweit inzwischen mehrere tausend Spieler.«

»Vom Tellerwäscher zum Millionär, hahaha«, sagte Peter. »Immer das alte Prinzip. Und was passiert, wenn das Flugzeug dich erwischt?«

»Dann wird man vier Wochen gesperrt und muss wieder von vorne anfangen. Ich kenne Leute, die sich einen neuen Computeranschluss beschafft haben, um die Sperre nicht absitzen zu müssen. So gut ist die Kontrolle.«

»Komplett verrückt«, sagte Peter. »Und du, bist du inzwischen Propellerpilot?«

»Bin leider getroffen worden.«

Peter grinste. »Und nun heißt es: warten, warten, warten . . .«.

»Wahrscheinlich ist er nur deswegen mit uns nach Nevada gereist«, sagte Justus süffisant. »Aber was nützt uns das jetzt. Jedenfalls war das Flugzeug, das gerade über unsere Köpfe gekracht ist, nicht Teil dieses Spiels. Zum Glück. Sonst hätten wir ein Problem mehr.«

»Trotzdem säße ich jetzt lieber vor meinem Computer als hier im heißen Sand«, sagte Bob.

»In diesem Punkt kann ich dir zustimmen!« Peter ging zurück zum Auto und öffnete die Heckklappe. »Lasst uns wieder auf die Überlebensfrage zurückkommen: Tun wir was.«

»Und das wäre?«, fragte Bob interessiert.

»Dein Pinkelsystem bauen«, sagte Peter. »Ich muss nämlich mal.«

Auch ein kleiner Spaten gehörte zur Ausrüstung des Geländewagens und so konnten die drei Detektive damit beginnen, ein Loch zu graben, um die Plastikfolie einzuarbeiten. In der Hitze war jede Bewegung sehr anstrengend. Sie arbeiteten schweigend. Allen gingen ähnliche Gedanken durch den Kopf. Es war sehr unwahrscheinlich, dass in dieser Gegend jemand eine Leuchtrakete sehen würde. Und die große Chance mit dem Flugzeug war leider vorbei.

Nach einer Weile mussten sie die Arbeit abbrechen. Es war einfach viel zu heiß. Justus und Peter setzten sich in den inzwischen deutlich breiter gewordenen Schatten des Autos. Bob holte den Rucksack mit den Essensvorräten aus dem Wagen und gesellte sich zu ihnen.

»Cornedbeef, süße Riegel, noch ein Cornedbeef ...« Päckchen für Päckchen packte er aus und stellte alles neben sich in den Sand. »Oh, noch eine Dose Cola!«

»Wow!« Peter nahm sie andächtig in die Hand. »Komisch«, sagte er und blickte Justus an, »wenn man wirklich Durst hat, ist einem reines Wasser lieber.« Er öffnete sie und trank einen Schluck. »Zu süß, das Zeug! Aber besser als gar nichts!«

Sie reichten die Dose herum. Dann begutachteten sie die weiteren Vorräte und stellten fest, dass sie sich ziemlich planlos in das Abenteuer begeben hatten. Da sie keinen Hunger hatten, packte Bob die Reste wieder ein und drückte Peter den Rucksack in die Hand. »Wegbringen darfst du es.«

»Okay.« Peter stand auf und ging zur Heckklappe des Wagens. »Zumal ich allmählich wirklich pinkeln muss.«

Bob schloss die Augen und lehnte sich gegen das Auto. Er sah aus, als ob er träumte. »Vielleicht kommt doch jemand und holt uns ab. Selbst unsere Geschichtslehrerin wäre mir recht . . .« Seine Stimme klang matt.

Justus tat so, als hörte er nicht hin. »Ein Kaktus!«, überlegte er. »Ich habe gelesen, Kakteen können Wasser speichern. Vielleicht wäre das eine Lösung. Wir müssen irgendwo Kakteen finden.«

»Oder ein Hubschrauber, ein Feuerwehrhubschrauber, der uns mit klarem kalten Wasser bespritzt und dann rettet«, murmelte Bob.

»Ab und zu gibt es sogar im Sommer hier einen sintflutartigen Regenschauer.« Justus zog die Stirn in Falten. »Alle hundert Jahre vielleicht. Aber die wiederum sind ziemlich gefährlich, man sollte auf hohem Gelände campieren. Sonst wird man vom Schlamm weggerissen.«

»Oder ein Auto«, sagte Bob versonnen und räkelte sich, »mit Eis und Wasser und Klimaanlage. He, Justus, hör auf mich zu kitzeln.«

»Ich kitzle dich doch gar nicht.«

»Tust du doch. Und ich träume trotzdem weiter vor mich hin. Selbst wenn du mich stundenlang kitzelst.«

»Ich kitzle dich wirklich nicht, Bob.«

»Doch, hier am Bein . . .«

»Quatsch.«

». . . nämlich genau da.«

»Nicht hinfassen, Bob!«, schrie Justus plötzlich los.

Erschrocken riss Bob die Augen auf und sprang auf die Füße. »Ein Skorpion, Justus!«, rief er. »Hilfe, fast hätte er mich gestochen!«

Im Sand, genau an der Stelle, an der Bob eben noch gesessen hatte, lag regungslos ein Skorpion. Direkt neben ihm steckte ein flacher Stein im Sand, unter dem er sich vorher versteckt hatte.

»Beweg dich nicht, Bob!« Justus näherte sich vorsichtig und betrachtete das Tier, das sich tot stellte. »Das hätte lebensgefährlich sein können«, sagte er. »Gut, dass er dich nicht erwischt hat!«

Etwas blass um die Nase starrte Bob in den Sand. »Hinsetzen werde ich mich jedenfalls nicht mehr«, erklärte er. »Justus, tu bitte das Tier weg.«

Der Erste Detektiv holte den Klappspaten und kickte den Skorpion ein paar Meter zur Seite. »Der kann sich jetzt auch von dem Schreck erholen«, sagte Justus. Er zwinkerte Bob zu, der schweigsam dastand. »Hast du doch was abbekommen, Bob? Du siehst so abwesend aus . . .«

»Pscht!« Bob hielt einen Finger an die Lippen.

Justus sah ihn zweifelnd an. »Hörst du plötzlich den summenden Berg?«

»Sei doch still! Ich habe eine Fata Morgana, Just. Eine akustische, meine ich. Da brummt doch . . .« Er schaute in die Ferne. »Und jetzt sehe ich auch was!«

Justus folgte seinem Blick. »Eine Fata Morgana? Mensch, Bob, das ist kein Trugbild! Da nähert sich wirklich ein Wagen!« Er kniff die Augen zusammen. »Schau! Dahinten! Eine kleine Staubwolke. Los, Peter, komm!«

Peter schnappte sich schnell die Signalpistole.

»Schieß schon!«, riefen Bob und Justus ohne das Fahrzeug aus den Augen zu lassen.

Peter drückte ab und eine grüne Leuchtkugel flog in den Himmel. Justus blickte ihr nicht lange nach. Er warf Peter bereits die nächste Leuchtrakete zu. »Hier, gleich die nächste hinterher!« Eine gelber Komet folgte und dann schoss Peter auch noch eine blaue Kugel los.

Gebannt beobachteten die Detektive, wie das herannahende Auto immer größer wurde. Inzwischen war das Geräusch des Motors ganz deutlich zu hören. Und der Wagen hielt direkt auf sie zu.

# Zwölf

Das Auto verlangsamte sein Tempo. In etwa fünfzig Meter Entfernung hielt es an. Erwartungsvoll starrten die drei Detektive auf die Person, die in dem breiten dunklen Geländewagen hinter dem Steuer saß. Gegen das Licht war nur ihre schwarze Silhouette zu erkennen.

»Warum steigt denn niemand aus?«, fragte Peter, nachdem sich der aufgewirbelte Staub längst gelegt hatte und immer noch nichts passiert war. »Los, rennen wir hin!«

Die drei ??? setzten sich in Bewegung. In diesem Moment wurde die Fahrertür des Wagens geöffnet und ein Mann sprang heraus. Er wirkte groß und schwer und er hatte ein Gewehr in der Hand.

»Stehen bleiben!«, brüllte er und stellte sich breitbeinig in den Sand. »Sonst kriegt ihr Probleme!« Er hob die Waffe und zielte auf Peter, der ihm am nächsten war.

Sofort stoppte Peter und hob die Hände. »Nicht schießen! Wir brauchen Hilfe! Unser Auto ist kaputt!«

Auch Bob riss die Hände nach oben. Unsicher sah er Justus an, der neben ihm stehen geblieben war.

Justus erwiderte seinen Blick. »Vielleicht vermutet der Mann eine Falle«, zischte er Bob zu, »immerhin sind wir zu dritt.«

»Was sucht ihr hier?«, rief der Mann ohne die Waffe vom Anschlag zu nehmen.

»Spinnt der, Justus?«, fragte Bob. »Was soll man hier in der Wüste schon suchen? Der tut ja so, als seien wir auf sein Privatgelände eingedrungen.«

»Naja, der will wissen, was los ist«, flüsterte Justus. Dann rief er laut: »Wasser. Wir verdursten! Unser Auto fährt nicht mehr.«

Kurze Zeit geschah nichts. Dann rief der Mann: »Rührt euch nicht von der Stelle!« Ohne sie aus den Augen zu lassen schritt er ein paar Meter zurück und öffnete die hintere Seitentür des

Wagens. Mit der einen Hand zog er eine Wasserbox hervor, mit der anderen hielt er weiter das Gewehr auf die drei Detektive gerichtet. Schwungvoll setzte er die Box in den Sand.

»Das muss reichen!«, rief er. »Und jetzt verschwindet! Wenn ihr morgen noch hier seid, dann bekommt ihr statt Wasser ein paar dicke Löcher in eure Bäuche!« Zur Untermalung seiner Drohung ließ er die Waffe kreisen.

»Ja, äh, danke für das Wasser«, rief Peter. »Wer sind Sie denn? Können Sie uns nicht vielleicht zur nächsten Stadt fahren?« Er ging ein paar Schritte vorwärts.

Blitzartig hob der Mann sein Gewehr und schoss. Peter hörte die Kugel pfeifen und warf sich in den Sand. Justus und Bob taten es ihm nach. Ein zweiter Schuss folgte. Auch er ging dicht über ihre Köpfe hinweg.

Bob blickte als Erster hoch und sah, wie der Mann eilig zurück in den Wagen stieg, startete, einige Meter rückwärts fuhr, dann wendete und mit Vollgas davonjagte.

»Ich träume wohl«, rief er. Er stand auf und klopfte sich den Sand vom Hemd.

Justus hatte sich inzwischen ebenfalls aufgerichtet. Die Hände in die Hüften gestemmt starrte er dem Wagen nach. »Das gibt es doch wohl nicht«, sagte er. »Das war knapp. Wir hätten tot sein können!«

»Immerhin haben wir jetzt Wasser!« Peter kam heran. Mit einer Hand trug er die Box, die der Mann zurückgelassen hatte. »Zehn Liter, das bringt uns allerdings auch nicht viel weiter. Aber jeder Tropfen ist wichtig.« Er stellte den Kanister in den Sand.

»Wir sollten wirklich einen Schluck trinken«, schlug Justus vor. »Wir haben zu viel Flüssigkeit ausgeschwitzt.«

»Wurde auch Zeit, dass du das einsiehst! Und dann richten wir uns für die Nacht ein!«, sagte Bob. »In ein paar Stunden wird es dunkel.«

»Nein! Wir werden den Spuren des Autos folgen, solange sie

noch erkennbar sind und ehe der Nachtwind sie verweht.« Justus hatte seinen Ton drauf, der eine Widerrede nur schwer zuließ. »Ich kann mir nicht vorstellen, dass der Mann in irgendeine Stadt fährt. Er sah nicht aus wie ein Tourist. Das war doch eher eine Arbeitskleidung, die er trug. So als wäre er ein Mechaniker. Der muss hier in der Nähe ein Quartier haben, vielleicht gibt es ja eine Oase.«

»Oase, das klingt gut«, musste auch Bob zugeben.

Sie gingen zurück zum Wagen und suchten heraus, was sie für ihre Wanderung mitnehmen wollten. Bob breitete eine Decke aus, auf die Justus und Peter die Essensvorräte, eine Taschenlampe, das Minipackzelt, die Leichtschlafsäcke und ein paar andere Gegenstände packten, die sie in den nächsten Stunden brauchen würden.

Schließlich war alles in zwei Rucksäcken verstaut und es war Peter sogar gelungen, um den Plastikkanister des Mannes ein paar Riemen zu schnallen, so dass man ihn einigermaßen bequem auf dem Rücken tragen konnte. Die drei Detektive teilten sich den Rest des Wassers, der sich in ihrer defekten Box befand. Sie tranken sehr langsam und genossen jeden Tropfen.

»So, das war's.« Justus steckte seinen leer getrunkenen Becher in den Sand. »Das war die Ration für heute.« Er schaute auf seine Armbanduhr. »Es müsste gleich Nachrichten geben«, sagte er und stand auf, um das Autoradio einzuschalten. Er betätigte die Suchfunktion und nach einer Weile hatte er den Sender von Rocky Beach gefunden. »Besonders auf den Wetterbericht bin ich gespannt«, murmelte er.

Nach einigen Takten Musik verkündete der Radiosprecher die Uhrzeit und begann die Meldungen zu verlesen. »Washington. Der unerklärbare Verlust eines amerikanischen Nachrichtensatelliten hat zu einer internationalen Krise geführt. Nachdem Russland jede Beteiligung abgestritten hat, steht nun China im Verdacht, den Satelliten abgeschossen zu haben.

Der Präsident erklärte, Amerika werde nicht eher Ruhe geben, bis der Vorfall restlos aufgeklärt sei. – Los Angeles. Die Luftverunreinigung, die in den letzten Tagen ...«

»Hahaha«, raunzte Peter dazwischen. »Die sollten mit ihren Satelliten lieber nach uns suchen. Das wäre mal ein sinnvoller Einsatz und wir könnten es wirklich gut ...«

Doch Justus ließ ihn nicht ausreden. »Halt mal die Klappe, sie sind gerade bei den Lokalnachrichten aus Rocky Beach.«

»... Beach. Titus Jonas, Besitzer des ortsansässigen Gebrauchtwarenlagers und seine Frau Mathilda haben den Rock'n Roll Tanzwettbewerb gewonnen, der alljährlich von der Stiftung für Körperkultur für die Einwohner von Rocky Beach veranstaltet wird. Schweißgebadet, aber glücklich bemerkte Mr Jonas: ›Tja, so alt wie die Eisen auf meinem Schrottplatz sind wir noch nicht‹, während seine Frau den ersten Preis, eine seltene Elvisplatte, entgegennahm. – Rocky Beach. Die Durchgangsstraße ...«

»Wow«, rief Justus aus. »Kaum geht man auf Reisen, schon kommen Onkelchen und Tantchen ins Radio! Sie versuchen schon seit Jahren, bei diesem Wettbewerb gut abzuschneiden. Nun haben sie es geschafft! Sie werden mächtig stolz sein!«

Bob stöhnte leise auf. »Ich wünschte, wir wären bei ihnen! Ich würde sogar freiwillig beim Schrottabladen helfen, wenn wir nur endlich aus dieser Wüste rauskämen!«

Justus stieß ihn mit dem Arm in die Seite. »Still, Bob!«

»Das Wetter: Kaum Änderung, viel Sonne, die Temperaturen steigen auf 40 Grad. Zeit also für ein frisches Bad im Meer, empfiehlt ihnen Al Smith von Radio Rocky Beach. Vielleicht mit diesem Song als Begleitung?«

Im Radio begann ein alter Surfsong.

Justus schaltete es wieder ab. »Mist«, sagte er. »Auf ein Bad im Meer hätte ich jetzt wirklich auch Lust. Aber was bleibt uns übrig. Lasst uns aufbrechen und diesen Mann suchen, zwei, drei Stunden lang wird es noch hell sein.«

»Na dann los«, sagte Peter. »Auf zu dem verrückten Waffenhelden. Eigentlich keine besonders attraktive Aussicht.«

»Ich glaube, er hatte nur Angst vor uns«, beruhigte ihn Justus. »Immerhin hat er uns das Wasser gegeben.«

»Du siehst das viel zu positiv«, widersprach Bob. »Er wollte uns hier weghaben! Und zwar möglichst schnell! Schließlich hat er uns doch unmissverständlich klargemacht, was er mit uns vorhat, wenn er uns morgen früh noch hier antrifft.«

»Klar, Löcher in unsere Bäuche schießen. Das war deutlich. Aber warum will er uns von hier vertreiben?«, fragte Peter. »Hat er etwas zu verbergen?«

Justus schüttelte den Kopf. »Was sollte das sein, hier in der Wüste?«

»Ich weiß es auch nicht«, sagte Peter leicht genervt. »Ist mir letztlich auch egal. Hauptsache, dieser Typ hat eine Wasserquelle und ein Funkgerät!«

»Also, gehen wir«, sagte Justus.

Die drei ??? schnallten das Gepäck auf und wanderten los. Der Sand ging langsam in einen harten, lehmigen Untergrund über. Der blaue Geländewagen hatte immer wieder Spuren hinterlassen. Justus, der die kleine Gruppe anführte, hatte daher wenig Mühe, den Weg zu finden. Doch sie kamen nur langsam voran. Bob wurde immer müder. Von allen schien er die Strapazen am wenigsten zu vertragen.

Nach über einer Stunde erreichten sie endlich das Gebiet des ausgetrockneten Salzsees. Obwohl sich die Sonne dem Horizont näherte und es bald dunkel werden würde, schlug Justus vor, eine Pause einzulegen. Er stieß auf keinen Widerstand und gemeinsam tranken sie etwas Wasser. Sie waren zu ermattet, um viel zu sprechen. Noch nicht einmal Peters Sonnenbrand war ein Thema, obwohl es Justus schon länger auf der Zunge lag, darauf hinzuweisen, dass das Design einer modischen Kappe völlig verpuffe, wenn keiner da sei, der es bewundere.

Dann brachen sie wieder auf. Die Reifenspuren führten am Salzsee entlang, direkt auf den Höhenzug zu. Nach einigen Schritten blieb Bob stehen. »Das könnte wirklich der summende Berg sein«, murmelte er. »Da vorne, der Felsvorsprung. Von der Beschreibung her passt es.«

Justus sah auf, nickte und schritt dann bedächtig weiter. »Wenn wir keine anderen Probleme hätten, würde ich das Geheimnis auch gerne lösen.«

»Ich will Wasser«, quengelte Peter.

Bob stand immer noch da und starrte in die Ferne, als ob er auf das plötzliche Auftreten einer Erscheinung wartete. »Schaut, die Sonne geht unter«, sagte er. Jetzt hielten auch Justus und Peter inne. Groß und golden schien die Sonne über dem Höhenzug zu kleben, aber wenn man genau hinsah, konnte man ihre Bewegung erkennen. Immer mehr verschwand die Scheibe, bald war nur noch ein winziger Rest zu sehen und mit einem kurzen grünen Leuchten war die Sonne ganz verschwunden. Mit einem Mal war die Gegend vor ihnen in einen Schatten getaucht, der ahnen ließ, wie kalt es nachts in der Wüste werden konnte.

Während die anderen bereits weitergingen, stand Justus immer noch da. Er schien etwas entdeckt zu haben. »He, Peter, Bob, was ist denn das da?« Er deutete auf den Berg. »Dort, etwas rechts davon, wo eben die Sonne untergegangen ist«, präzisierte er den Ort seiner Beobachtung.

»Sieht wie ein flacher Felsen aus Sandstein aus.«

»Nein, Peter.« Justus kniff die Augen zusammen, um besser sehen zu können. »Dazu sind die Formen zu glatt. Das könnte ein flaches Haus sein, ein Bungalow!«

»Ein Haus? Hier in der Wüste?«

»Ja, klar. Das, was wie kleine schwarze Augen aussieht, könnten Fensteröffnungen sein. Vorhin hast du doch erzählt, Bob, früher hätte es hier in der Gegend Bergwerke gegeben?«

Bob nickte.

»Vielleicht gehört unser Mann zu einer Gruppe von modernen Schatzsuchern, und er wollte uns deshalb loswerden.«

»Du meinst, da ist jemand wieder auf Gold gestoßen?«

»Kann doch sein, Peter.« Justus zog die Gurte seines Rucksacks straff. »Vielleicht ist hier doch etwas im Gange und das Haus ist bewohnt. Dann gibt es dort auch Wasser. Auf alle Fälle sehen wir uns die Sache mal näher an. Die Reifenspuren gehen auch in die Richtung. Schätze, wir brauchen noch knapp eine Stunde, bis wir da sind.«

»Wenn es wirklich um Gold geht, ist mit niemandem zu spaßen«, gab Peter zu bedenken.

»Wir nehmen keinem etwas weg«, sagte Justus.

Mit dem Ziel vor Augen ging es spürbar leichter voran, zumindest empfanden das Peter und Justus so. Bob fühlte sich schwindelig. Offenbar hatte er zu viel Sonne abbekommen. Es war ein Wettlauf gegen die hereinbrechende Nacht. Sie mussten unbedingt noch während der Dämmerung einen Ort finden, wo sie Schutz vor den Gefahren der Nacht hatten.

Nach einer guten halben Stunde erreichten sie die Überreste eines Maschendrahtzauns. Das sandfarbene Gebäude lag nur noch einige hundert Meter entfernt und war inzwischen deutlich zu erkennen. Es sah unbewohnt aus. Die drei Detektive warfen ihr Gepäck ab. Bob ließ sich in den Sand fallen und blieb erschöpft sitzen, während Justus und Peter begannen, den Zaun zu untersuchen.

»Da ist schon Jahre nichts mehr dran gemacht worden«, überlegte der Erste Detektiv. »Ziemlich verfallen und durchgerostet das Ganze. Schätze, dass der größte Teil des Zaunes inzwischen vom Sand begraben wurde.«

Peter unterbrach ihn. »Warte mal, Just. Da klemmt ein verrottetes Schild.« Er ging näher an das Blechstück heran, das halb im Sand steckte. Die Farbe war fast vollständig abgeblättert. »Ein paar Buchstaben kann ich erkennen«, sagte er. »ASA, Warn... tret... schieß... ofor... Was heißt das?«

Justus war neben ihn getreten und studierte das Schild mit wichtiger Miene. »›ASA‹, keine Ahnung. Aber der Rest müsste so etwas heißen wie ›Warnung, nicht betreten, wir schießen sofort!‹« Er zählte die Buchstaben ab. »Ja, das passt.«

»Meinst du, das Schild gilt noch?«, fragte Peter etwas ängstlich.

»Ich glaube nicht, dass wir uns wegen der ehemaligen Besitzer in Acht nehmen müssen. Hier ist doch alles verfallen.«

Inzwischen war die Dämmerung hereingebrochen und die drei Detektive beschlossen sich dem merkwürdigen flachen Haus zu nähern, allerdings mit Vorsicht. Es war direkt vor eine ebenfalls sandsteinfarbene glatte Felswand gebaut, die den unteren Teil des länglichen Höhenzuges bildete, der an dieser Stelle seinen höchsten Punkt hatte. Die dunklen Fenster des Gebäudes schienen die Detektive beim Näherkommen wie schwarze Augen zu beobachten.

Nach ein paar Metern blieb Peter stehen und fixierte sie. »Mir ist unheimlich. Sie starren einen direkt an, diese Fenster.«

»Quatsch!« Justus schüttelte den Kopf. »Da ist niemand. Kein Licht, kein Geräusch, nichts.«

»Und wenn der Mann in einem der Räume auf uns wartet?«

»Peter, wir sind in einer Notlage. Wir sind am verdursten.«

Kommentarlos folgte Peter. Bob trottete hinter beiden her. Doch gleich hielt er wieder inne und bückte sich.

Justus bemerkte es und drehte sich um. »Komm, Bob, es ist nicht mehr weit. Gleich kannst du dich ausruhen!«

»Nein, Just, das ist es nicht«, murmelte Bob. »Ich glaube, hier ist eine andere Spur! Im Sand hier, viel breiter!«

Justus und Peter kamen die paar Schritte zurück.

»Die kann tatsächlich nicht von dem Geländewagen stammen«, sagte Justus und kniete sich nieder, »die ist wirklich viel breiter. Ein Lastwagen vielleicht. Aber lange kann es noch nicht her sein, dass er hier gefahren ist. Sonst hätte der Wind die Spuren verweht.«

Peter nickte. »Ob hier etwas abtransportiert worden ist? Gold? Auf das Haus geht die Spur nicht zu. Sie führt zu der Felswand. Das ist doch ungewöhnlich! Sollen wir mal nachschauen?«

»Nein«, entschied Justus. »Erst untersuchen wir den Bungalow. Später können wir uns um diese Spuren kümmern.«

Peter fügte sich und lief mit Justus los, auch Bob stand schwerfällig auf. Langsam schlichen sie sich an das Gebäude heran, in dem sich immer noch nichts zu bewegen schien. Von weitem hatte es ausgesehen wie ein noch nicht fertig gestelltes Haus. Doch das Gegenteil war der Fall: Hier hatten einmal Menschen gewohnt. Aber nun waren die Fensterscheiben zerschlagen, Sand war angeweht und in vielen kleinen Spalten im Beton hatten sich die Wüstenpflanzen darangemacht, den unnatürlichen Fremdkörper langsam aber sicher zu erobern.

»Da wohnt seit Jahren kein Mensch mehr«, murmelte Justus enttäuscht. »So ein Mist. Gehen wir rein.«

Peter zog ihn am Ärmel. »Und die Reifenspuren? Und der Mann mit dem Gewehr? Wir sollten uns nicht unvorsichtig verhalten, nur weil wir müde und erschöpft sind.«

»Der Mann ist vorbeigefahren«, antwortete Justus. »Die Spuren laufen nicht auf das Haus zu. Und was sollte der hier in dieser Hütte? Ist doch alles leer und verkommen. Gerade mal gut genug für den Schutz vor der Nacht.«

Inzwischen waren Justus und Peter zu einem überdachten terrassenartigen Vorplatz gelangt, von dem man in das Innere des Hauses gelangte. Zumindest ließ eine lose in den Angeln hängende Stahltür darauf schließen.

»Hier rein«, zeigte Justus den Weg an. »Da haben wir ein Dach über dem Kopf. Es kann kalt werden, heute Nacht.«

Peter hielt ihn zurück. »Schau«, sagte er. »Da, auf dem Boden, in der Ecke.« Justus sah sofort, was Peter meinte. Dort lag eine leere Zigarettenschachtel, scheinbar achtlos weggeworfen. Der Erste Detektiv nahm sie auf und untersuchte sie. »Die ist neu«, sagte er langsam. »Nicht vergilbt«, er hielt sie an die Nase, »und sie riecht noch nach Tabak.« Er blickte sich um. »Peter, du hast doch Recht gehabt. Irgendjemand war da und hat sich hier umgesehen.«

»Na siehst du. Und jetzt?«

»Gehen wir ins Haus. Nur weil der Jemand raucht, muss er doch kein Bösewicht sein. Und vermutlich ist er schon längst auf und davon.«

Peter unterdrückte seine Angst und nickte. Dann sah er sich um. »Wo ist Bob?«, fragte er erschrocken.

»Keine Ahnung. Vorhin war er doch noch da!« Justus ließ die Zigarettenschachtel fallen und lief quer über die Terrasse. »Ob er noch im Sand sitzt? Ihm ging es nicht gut.«

Peter rannte Justus hinterher. Gemeinsam liefen sie den Weg ein Stück zurück. Doch von Bob war nichts zu sehen.

»Vielleicht ist er schon ins Haus gegangen«, überlegte Peter.

»Auch wenn es ganz schön unvorsichtig wäre.«

»Also los, sehen wir nach.«

Sie liefen zurück, griffen ihr Gepäck und eilten hinüber zu der Stahltür, die halb geöffnet war und durch den Spalt den dunklen Raum erkennen ließ, in dem Bob verschwunden sein musste. Sie hatten den Durchgang fast erreicht, als Peter ins Stolpern kam und gegen die Tür rumpelte.

»Der Riemen«, rief Justus, »du bist auf den Tragriemen des Rucksacks getreten.« Er beugte sich über ihn. »Ist dir was passiert?«

Stöhnend stand Peter auf. »Es geht schon«, sagte er. »Ein paar blaue Flecken habe ich wohl abbekommen. Viel schlimmer ist, dass ich die Tür dabei zugedrückt habe.«

»Dann machen wir sie eben wieder auf«, sagte Justus und zog am Griff. Nichts passierte. Er zog fester. »Sie klemmt«, rief er, »sie klemmt!«

# Elf

Dass sich Justus nach der Zigarettenschachtel gebückt hatte, war Bob nicht aufgefallen. Völlig erschöpft war er weitergegangen. Unaufhörlich kreisten seine Gedanken um Wasser. Und er wollte irgendwo ankommen, sich hinsetzen, ausruhen. Nachdem er durch die Stahltür gestolpert war, fand er sich in einem dunklen, fensterlosen Raum wieder. Nur durch ein Lüftungsloch fiel letztes Dämmerlicht. Mühsam zog er seine Taschenlampe hervor und schaltete sie ein. Das Zimmer war vollkommen ausgeräumt, Tapetenfetzen hingen von den Wänden herab. Durch Tür und Lüftungsloch war Sand hereingeweht, auch vertrocknetes Gras lag herum. Doch irgendetwas irritierte ihn. Er blickte sich noch einmal um. Da sah er es: Lauter geschlossene Wände. Warum gab es keine zweite Tür in die dahinter liegenden Räume? Er begann die Wände genauer abzuleuchten und wollte sich gerade erschöpft hinsetzen, als ihm erneut etwas auffiel.

»Sandreste«, murmelte er und leuchtete den Boden ab. »Überall Sandreste, aber hier«, er leuchtete unter sich, »ist alles weggekehrt.«

Bob kniete sich hin und begann, die Wand abzutasten. In dem Moment hörte er, wie Peter draußen gegen die Tür polterte. Vor Schreck ließ er die Taschenlampe fallen, die er sich zwischen die Zähne geklemmt hatte, um die Hände frei zu haben. Sie rollte zur Seite und warf ihr Licht schräg auf die Wand. In diesem Licht fiel Bob plötzlich eine feine Linie auf. »Hier!«, rief er. »Ich glaube, ich habe einen Spalt gefunden.« Aufgeregt fuhr er mit der Hand am Beton entlang. »Da muss eine Geheimtür sein! Kommt, Justus und Peter! Beeilt euch! Ich glaube, hier geht es in den summenden Berg!«

Bobs Lebensgeister waren geweckt und fieberhaft begann er nach dem Mechanismus für die Tür zu suchen. Seine Hände fuhren am Boden entlang und dann Zentimeter um Zentimeter die Wand hoch. Plötzlich hörte er ein Klicken. Ein Motor begann zu surren. Direkt vor ihm glitt eine Schiebetür zur Seite und gab eine dunkle Öffnung frei. Erschrocken trat Bob einen Schritt zurück. In dem Gang zeichnete sich ein schwarzer Umriss ab, der sich auf ihn zubewegte. Aber noch bevor Bob mehr erkennen konnte, flammte eine grelle Lampe auf und blendete ihn.

Ein hallendes Lachen ertönte. »Na, Jungs, ihr wolltet also nicht hören? Ich hatte euch gewarnt!«

Bob zuckte zusammen. »Der Mann mit dem Gewehr!«, entfuhr es ihm. Er hatte ihn sofort an der Stimme erkannt.

»Ja, der bin ich. Ihr seid leider hartnäckiger, als ich dachte, Freunde.« Das Licht der Lampe wanderte im Raum umher. »Aber du bist ja alleine!«, rief der Mann. »Wo sind die anderen zwei?«

In dem Moment stürmten Justus und Peter herein. Endlich hatten sie die Tür aufbekommen, doch leider zu einem gefährlichen Zeitpunkt.

»Hände hoch«, brüllte der Mann, »und rüber zu eurem Freund! Rein mit euch! Da, in die Tür. Sieh an, meine Wasserbox habt ihr auch dabei. Nimm sie mit! Los, du da!« Er zielte auf Peter, dem es vor Schreck die Sprache verschlagen hatte.

Peter hob die Box hoch und trug sie langsam in den Durchgang. Justus folgte ihm.

Dann richtete der Mann sein Gewehr auf Bob, der wie angewurzelt dastand. »Los, du auch! Beweg dich schon!«

»Ihm ist nicht gut«, versuchte Justus zu beschwichtigen.

Dem Mann war das egal. Er schubste Bob durch die Geheimtür in einen weiß getünchten Gang, der im Gegensatz zu dem verfallenen Bungalow ganz gut in Schuss war. Zumindest sah die Farbe an den Wänden noch recht frisch aus, fand Justus. Er ging voran und versuchte sich zu orientieren. Der Gang musste direkt in den Berg hineinführen. Nach einigen Metern erreichten sie eine elektronisch gesicherte Tür. Ohne die Detektive aus den Augen zu lassen, ging der Mann an ihnen vorbei und tippte eine Codenummer auf ein Zahlendisplay. Aus dem Augenwinkel erkannte Justus die Kombination. Zwei – null – fünf – vier, prägte er sich ein.

Die Tür glitt zur Seite. Offenbar kamen sie nun in den Kernbereich dieser unterirdischen Anlage, was immer sich hier auch verbarg. Mit der Waffe bedeutete ihnen der Mann weiterzugehen. Hinter ihnen schloss sich die Tür und Justus wurde den Gedanken nicht los, dass sie damit von ihrer Freiheit für eine Zeit lang Abschied genommen hatten. Er hoffte nur, nicht für immer.

Nach kurzer Zeit befahl der Mann mit der Waffe bereits wieder: »Stehen bleiben!« Sie waren an eine seitlich gelegene Tür gekommen, die durch einen schweren Riegel gesichert war. Raum V, stand in schwarzen Lettern über ihr. Ihr Bewacher trat vor und schob den Riegel zurück. Justus schielte zur Seite. Fluchtmöglichkeiten gab es keine. Gegenüber schloss sich ein weiterer Gang an, der ebenfalls zu einer Stahltür führte.

Mit einem saftigen Fußtritt stieß der Mann die Tür auf und befahl den drei Jungen: »Los, rein mit euch!«

Widerwillig stolperten Justus, Peter und Bob in das Zimmer. Der Mann drückte auf den Lichtschalter und kaltes Neonlicht flackerte auf. Die drei Detektive blickten sich um. Sie befanden sich in einem kärglich möblierten, weiß gestrichenen, fast quadratischen Raum. Da er unter der Erde lag, hatte er keine Fenster. In der Ecke standen zwei einfache Liegepritschen und an einer Wand stapelte sich ein mannshoher Berg von Computerausdrucken. In einem kleinen Nebenraum hing neben einer alten Toilette ein schmutziges Waschbecken.

»Hier seid ihr sicher.« Der Mann grinste. »Ihr wolltet es ja nicht anders.« Mit einem lauten Kratzen wurde der schwere Riegel vorgeschoben. Die drei ??? waren gefangen.

Peter stellte die Wasserbox neben das Feldbett und setzte sich erst einmal hin. »Ich gebe eine Runde aus, Jungs«, sagte er. »Ich denke, wir brauchen einen Schluck.«

Bob legte sich neben ihn auf die Pritsche. »Mann, bin ich fertig ...« Er schloss die Augen und hielt sich den Kopf.

Peter packte einen Becher aus und schenkte ein. »Komm, alter Junge, trink was.« Er half Bob in die Sitzposition und lehnte ihn an die Wand. Dann reichte er ihm den Becher.

Justus hatte sich inzwischen über den Papierberg hergemacht. »Wozu braucht man hier wohl so viel Papier?«, sagte er und wühlte sich durch die Stapel. Er zog einen Bogen hervor. »Zahlen, Zahlen, Zahlen, selbst mein Computergehirn hilft da nicht weiter.« Er warf das Papier zurück. »Keine Ahnung, was die bedeuten sollen, aber zum Goldsuchen können sie eigentlich nicht dienen.«

»Hier, dein Krafttrunk.« Peter reichte ihm einen Plastikbecher. »Das Ganze hier hat das einladende Aussehen einer Gefängniszelle«, sagte er.

Justus trank das Wasser in schnellen Zügen aus. »Ah, das tut gut. Komm, noch 'ne Runde.«

Der Erste Detektiv setzte sich neben Peter auf das Feldbett. »Ein Atombunker mitten in der Wüste, was soll das? Wer soll sich da hineinretten?« Genießerisch ließ er sich das Wasser über die Zunge gleiten. »Wusste gar nicht, dass Wasser so ein köstliches Getränk ist.«

Peter schraubte den Kanister wieder zu. »Was glaubst du, wie lange wird er uns hier festhalten?«

Justus zuckte mit den Achseln. »Weiß ich es? Für immer?«

»Komm, Just, mach mir keine Angst!«

»Hoffnung kann ich dir auch nicht machen. Wir sitzen in der Falle, und ich ...«

»Was ist?«, fragte Peter.

»Pscht!«, flüsterte Justus. »Freunde, wir werden beobachtet.« Er nickte in Richtung Tür.

Bob und Peter sahen möglichst unauffällig hinüber.

Erst jetzt bemerkten sie, dass die Tür ein kleines Guckloch hatte, durch das man fast unbemerkt den Raum beobachten konnte. Und Justus hatte Recht: Ein großes Auge starrte sie unverwandt an.

Justus setzte sich in Bewegung, ohne den Blick von dem Auge abzuwenden. »Kommen Sie ruhig herein«, rief er, »die Tür ist offen.«

Draußen wurde der Riegel zur Seite geschoben. Die Tür öffnete sich einen Spalt. »Los, Butch«, sagte eine Männerstimme. Der Mann, den die drei ??? schon kannten, erschien als Erster. Das Gewehr hatte er natürlich wieder dabei.

»Scheint ihm angewachsen zu sein«, murmelte Bob, dem es nach dem Glas Wasser wieder etwas besser ging.

Dann erschien ein Junge, der in einem weißen Kittel steckte, wie sie Ärzte tragen. Vermutlich ein Mexikaner, das konnten die drei ??? aus seinen auffallenden Gesichtszügen und seiner etwas dunkleren Hautfärbung schließen. Er war vielleicht zwei Jahre älter als die drei ??? und etwa so groß wie Bob. Neugierig und mit wachem Blick musterte er die Jungen, wobei er sich vorsichtig hinter seinem Vordermann hielt.

So war Platz genug für den Mann, der jetzt als Dritter den Raum betrat. Er war groß und sehr schmal. Die grauen, leicht gewellten Haare passten zu seinem ziegenähnlichen Bart. Seine Lippen lächelten dünn und aus seinen Augenschlitzen fixierte er die Jungen genau. Justus spürte sofort, dass mit ihm nicht zu spaßen war.

Mit einer arroganten Bewegung warf der Mann den Kopf in den Nacken. »Ein schönes Trio hast du da erwischt, Butch!« Seine Hand fuhr in die Hosentasche und zog ein Plastikteil hervor, das Justus nicht gleich zuordnen konnte. Er begann es zwischen den Händen hin und her zu drehen.

»Ausgezeichnete Arbeit, Butch! Gut, dass du sie hier eingesperrt hast.«

Butch lächelte stolz und hielt das Gewehr etwas höher. »Kein Problem, Sir.«

»Doktor Gregstone«, stellte sich der Grauhaarige vor. »Ihr könnt mich Doktor nennen. Doktor der universalen Intelligenz.« Er lachte über die in seinen Augen gelungene Formulierung. Dann wurde seine Stimme schneidender: »Aber nun zu euch: Was wollt ihr hier? Mitten in der Wüste?«

»Nichts, äh«, stotterte Justus.

»Eigentlich waren wir auf der Suche...«, fuhr Peter fort.

»... nach Wasser!«, ergänzte Bob, der wie Justus und Peter aufgestanden war. »Ja, Wasser.«

»Wasser!« Die Antwort schien Gregstone zu belustigen. »Wasser sucht ihr? Hier in der Wüste? Nein, nein, Wasser gibt es hier nicht, meine Freunde. Nur Sand, Sonne und Sterne. Wer schickt euch also?«

»Niemand, wir sind auf der Durchreise«, antwortete Bob wahrheitsgemäß.

Peter nickte. »Ja, nach Nevada. Wir nahmen eine kleine Abkürzung...«

»Eine Abkürzung? Ausgerechnet durch die Wüste? Ihr haltet mich für blöde!«, schrie der Mann auf. »Wagt es nie, meine Intelligenz zu beleidigen!« Er holte tief Luft. »Noch einmal: Was ist euer Auftrag?« Er drehte den Plastikstab so aufgeregt in seinen Händen, dass er versehentlich zu Boden fiel. »Aufheben«, zischte Gregstone. Der Junge im weißen Kittel sprang herbei, bückte sich und reichte dem Doktor eilfertig den Gegenstand. Dieser nahm ihn wieder an sich und schwieg. Eine spannungsgeladene Pause entstand.

»Wir wollten wirklich nach Nevada«, plapperte Peter plötzlich los, »wirklich, dort läuft ein Filmfestival, auf dem der, äh, der neue Spielfilm von, von diesem berühmten Regisseur ...« Vor Aufregung fiel ihm der Name nicht mehr ein.

Der Doktor half nach. »Von Lea Star«, sagte er genüsslich. »Ihr wolltet also den neuen Lea Star sehen?«

»Genau«, rief Peter, »und dann ging unser Auto kaputt und wir waren am Verdursten ...«

»Aber wieso fahrt ihr durch die Wüste, wenn das Festival heute beginnt? Der Highway ist doch zehnmal schneller, und viel ungefährlicher dazu. Zumal ihr wahrlich keine Abkürzung genommen habt ...«

»Der summende ...«, begann Bob.

Justus sah ihn scharf an.

»Der summende was?«, fragte Gregstone.

»Nichts.«

»Butch, hilf mal ein wenig nach! Ich will dieses Geschwätz nicht weiter hören!«

»Kein Problem.« Butch setzte sich in Bewegung und drohte Peter mit dem Gewehrkolben einen Schlag an.

»Nein!«, ging Justus dazwischen. »Warten Sie, wir werden Ihnen alles sagen, Doktor.«

»Na, also. Dann fangt mal ganz von vorne an. Wie heißt ihr?«

»Ich bin Justus Jonas, das ist Peter Shaw und das ist Bob Andrews.«

»So. Dann wollen wir mal sehen, ob das stimmt«, sagte Gregstone und grinste. »Durchsuche sie, Butch!«

»Kein Problem!« Butch trat einen Schritt nach vorne. »Wen zuerst?«, fragte er ohne eine Miene zu verziehen.

Der Doktor zeigte auf Justus. »Den vorlauten Dicken da!«

# Zehn

Wie befohlen wandte sich Butch Justus zu. Dieser ließ die Durchsuchung willig über sich ergehen. Peter, der neben ihm stand, fing innerlich an zu zittern. Er war wohl als Nächster dran und dann würde Butch über kurz oder lang sein Dietrichset finden, das er immer in der Hosentasche trug. Mit ihm hatte er schon so manches Türschloss geknackt, und so, wie die Lage aussah, würden sie es hier gut brauchen können. Doch nicht nur deswegen sorgte sich Peter. Er fürchtete auch einen neuen Wutausbruch Gregstones, denn solch ein Profiset gehörte nicht unbedingt zur Ausrüstung harmloser Filmfestbesucher.

Peter versuchte die Situation abzuschätzen. Zurzeit achteten alle auf Justus und Butch. Möglichst unauffällig zog er das Set aus der Jeanstasche und ließ es hinten in die Hose gleiten. Es rutschte an seinem rechten Bein herunter und blieb knapp über Bodenhöhe an seiner Ferse hängen. Jetzt bloß keinen Schritt machen, dachte Peter, sonst ist es aus. Wenn die das entdecken, fühlt Gregstone sich in seinem Verfolgungswahn bestätigt ...

Bei Justus war Butch inzwischen fündig geworden. Mit einem triumphierenden Lächeln reichte er Justus' Brieftasche an den Doktor weiter. Gregstone steckte seinen Plastikstab in die Hosentasche und nahm sie entgegen, um als Erstes das Geld zu zählen. »Das ist ja nicht gerade viel.« Dann fischte er einige Zettel heraus. »Ha, Sammelbildchen von Filmserien, Baby Fatso, mit diesem kleinen Dicken.«

Justus wurde rot, während Gregstone weiter redete. »Die Serie ist eine Beleidigung für meine Intelligenz. So, was haben wir denn noch?« Gregstone zog einen Papierschein hervor. »Eine zerknitterte Buskarte aus Rocky Beach ...« Der Doktor ließ sie zu Boden segeln. Ebenso wie den Schülerausweis, eine uralte Eintrittskarte eines Rockkonzertes und schließlich ein Bild von einem Mädchen. »Sieht nett aus, die Kleine. Aber ob sie dich noch mal wieder sieht, Dicker? Ich glaube nicht! Hahaha!« Er lachte lauthals, und da der Junge im weißen Kittel nicht sofort mitlachte, bekam er einen Stoß in die Seite.

Doch dann bekam der Doktor etwas in die Hand, was ihn aufmerken ließ. »Na also, ich habe es doch gewusst!«, sagte er ernst. Er studierte das Papier. Anscheinend war es mit dem Spaß nun vorbei. »Ihr seid Detektive! Verdammt! Warum muss mir das ausgerechnet jetzt passieren! So kurz vor dem Ziel!« Er sah Justus direkt an. »Ich kann Detektive nicht ausstehen!«

»Greg! Detektive?« Zum ersten Mal sprach der mexikanische Junge. »Sie haben es auf dich abgesehen!«

Mr Gregstone legte ihm den Arm um die Schulter. »Keine Angst, Ramirez, sie werden uns nicht im Weg stehen. Ich habe alles unter Kontrolle. Nicht wahr, Butch?«

»Kein Problem, Sir!« Butch hob grinsend sein Gewehr.

»Wir werden sie hier einsperren«, sagte der Doktor. »Bis alles vorbei ist. Oder auch länger.« Er machte eine bedeutsame Pause. »Aber es kann doch kein Zufall sein, dass ihr ausgerechnet zu diesem Zeitpunkt kommt! Also noch einmal, wer schickt euch? Wer steckt dahinter?«

»Wohinter?« Justus schüttelte den Kopf. »Nein, Sir, Sie vermuten falsch. Wir sind keine Detektive!« Justus hatte bestimmt und langsam gesprochen, so dass die drei ihn einen Moment lang überrascht anblickten.

Der Erste Detektiv hatte sich für die Taktik entschieden, ihr Detektivgeschäft herunterzuspielen. Der Doktor hatte ohne Zweifel Angst, bei irgendetwas entdeckt zu werden, und Justus wollte ihn nicht unnötig nervös machen. »Wissen Sie«, sagte Justus, »es ist nur ein Spiel, Sir, ein Detektivspiel.«

Ramirez und Butch flüsterten sich etwas zu und der Doktor

rief sie zur Ruhe. »Natürlich seid ihr Detektive«, rief er aus, »hier steht es doch. Auf eurer eigenen Karte.« Er nickte Butch zu. »Los, durchsuche die anderen! Wenn sie auch so eine Visitenkarte dabeihaben ...«

Mist, dachte Peter. Das Dietrichset drückte an seine Ferse. Geistesgegenwärtig zog er seinen Geldbeutel hervor und streckte ihn Butch entgegen. »Ich rücke ihn freiwillig raus«, sagte er.

Butch reichte die Brieftasche weiter an den Doktor und klopfte Peter oberflächlich das Hemd ab. Dann wandte er sich an Bob. Puh, dachte Peter, erst mal Glück gehabt. Aber er blieb weiter wie eine Salzsäule stehen.

Bob hatte die Hände erhoben. »Ich habe nichts dabei«, erklärte er, »meine Sachen sind im Rucksack.«

»Dann hol sie!«

Doch zunächst untersuchte Gregstone Peters Brieftasche. Nachdem er einen alten Spickzettel für eine Geschichtsarbeit und eine Autogrammkarte des Schriftstellers Robert Arthur gefunden hatte, zog er zufrieden weitere Visitenkarten der drei Detektive hervor. »Na also«, sagte er. »Eure Namen stimmen, und Detektive seid ihr auch. Hier steht es doch, immer und immer wieder.« Als ob sie dadurch wahrer würden, drückte er seinen Begleitern ein paar Karten in die Hand und begann laut vorzulesen.

> Die drei Detektive
>
> ???
>
> Wir übernehmen jeden Fall
>
> Erster Detektiv          Justus Jonas
> Zweiter Detektiv         Peter Shaw
> Recherchen und Archiv    Bob Andrews

Justus versuchte ein letztes Mal, den Doktor von ihrer Ungefährlichkeit zu überzeugen. »Mr Gregstone, lassen Sie uns laufen. Wir sind keine richtigen Detektive. Wir träumen nur davon. Oder glauben sie ernsthaft, dass drei sechzehnjährige Jungen ein Detektivbüro führen können?« Er holte Luft, um dieses Argument, das die drei Detektive sonst immer von den Erwachsenen zu hören bekamen, ausgiebig wirken zu lassen.

»Das ist es ja gerade!«, schrie Mr Gregstone und fuchtelte mit seinem Plastikstab herum, den er wieder aus der Tasche gezogen hatte. »Die beste Tarnung, die es gibt!« Er blickte den jungen Mexikaner an, der ihm an den Lippen zu hängen schien. »Was meinst du, Ramirez? Es muss ein Trick sein. Ich soll glauben, dass diese Fragezeichen Grünschnäbel sind. Und in Wirklichkeit spionieren sie uns eiskalt aus!«

Ramirez nickte folgsam.

Justus trat einen Schritt vor. »Doktor! Wäre es nicht unlogisch, wenn wir als Touristen getarnt hier herumspionieren wollten und dann unsere Visitenkarten mitnehmen? Wir müssten doch mit einer Durchsuchung rechnen, wenn wir wirklich etwas im Schilde führen würden. Das wäre schon sehr dumm!«

Gregstone grinste irritiert, fing sich aber schnell wieder. »Mein Junge, deine Bemerkung zeigt, dass ihr wahrlich nicht blöd seid. Möglicherweise seid ihr sogar sehr gerissen. Vielleicht sind die Visitenkarten eine noch geschicktere Form der Tarnung, damit ich gerade das denken soll, was du eben gesagt hast.« Er lächelte süffisant. »Aber nicht mit mir, Jungs, nicht mit Gregory Gregstone. Ich bin immer auf der höheren Ebene. Nicht wahr, Butch? Immer einen Schritt weiter.«

Butch hob das Gewehr. »Kein Problem, Sir!«

»Okay, Butch. Ramirez, die Brieftasche von diesem Bob, los, gib sie schon, die hatte ich noch nicht gesehen.«

»Natürlich.«

Der Doktor nahm sie entgegen und öffnete sie genüsslich.

»Aha, ein Bibliotheksausweis – das passt doch: bestimmt für seine Detektiv-Recherche –, natürlich, die Visitenkarten, eine vergilbte Bestätigung, dass er Journalist ist – seit Menschengedenken eine gute Detektivtarnung! –, eine Monatskarte – und ein Zettel mit einer Internetadresse. Interessant!« Er blickte auf. »Und ihr sagt, dass ihr harmlose Touristen seid! Mir reicht's jetzt!« Gregstones Stimme wurde sehr scharf. Er warf die Brieftasche wütend vor sich auf den Boden. Dabei rutschte eine Postkarte heraus.

Bob war bleich geworden. An die Postkarte hatte er nicht mehr gedacht. Auch Justus trat unruhig von einem Fuß auf den anderen. Peter blickte an die Decke. Sie alle wussten, was nun passieren würde: Die Geschichte von ihrer angeblichen Harmlosigkeit zerplatzte endgültig wie ein Luftballon.

Gregstone drehte die Karte um und las. »Liebe drei Fragezeichen! Ein wunderschöner Sommer hier im Kingspark, schade, dass ihr nicht hier sein könnt. Aber ich wollte mich herzlich bei euch bedanken, dass ihr noch ein zweites Mal hergekommen seid und dann tatsächlich die Wilderermafia überführt habt. Ihr seid wirklich richtige Detektive! Besucht mich, wann immer ihr wollt, und ich zeige euch die geheimen Stellen meines Parks – Liebe Grüße – Monica.«

Gregstone ließ die Karte zu Boden segeln. »Butch, wir trocknen sie aus. Bis sie endlich sagen, was sie hier vorhaben. Nimm ihnen das Wasser ab!« Er deutete auf Peter. »Los, gib Butch die Box!«

Peter durchfuhr es siedend heiß. »Ich, Sir, äh, ich kann nicht«, stotterte Peter und dachte an das Dietrichset, das ihm am Bein hing. »Ich habe vom langen Stehen einen Krampf im Bein bekommen, Sir.«

»Also gut, dann du, Dicker.«

Widerwillig ging Justus zur Wasserbox und reichte sie dem Bewacher. Kommentarlos nahm Butch sie entgegen. Dann verschwanden die drei aus dem Raum. Mit einem mulmigen

Gefühl in der Magengegend hörten die Detektive, wie der schwere Riegel von außen vorgeschoben wurde. Gregstone schien sie als gefährliche Gegner einzustufen.

Doch Bob dachte an das Naheliegende: »Los«, zischte er. »Alle Becher mit Wasser füllen, bevor sie den Hahn abdrehen! Da, im Toilettenraum!«

Peter bückte sich, zog das gerettete Dietrichetui hervor und stellte sich vor das Guckloch: Gregstone und seine Begleiter verschwanden gerade durch die gegenüberliegende Tür. Justus und Bob waren bereits dabei, sämtliche verfügbaren Becher und Gefäße mit Wasser aufzufüllen. Als sie fertig waren, hielten sie nacheinander ihre Münder unter den Hahn und tranken, was das Zeug hielt.

Peter wartete, bis sie fertig waren. Dann lief auch er zum Wasserhahn und stillte seinen Durst. Plötzlich merkte er, wie der Strahl dünner wurde und schließlich in ein Tröpfeln überging. Das Wasser war abgestellt. Und lange würden ihre Vorräte nicht reichen.

# Neun

Zuerst einmal mussten die Wasservorräte in Sicherheit gebracht werden. Justus und Bob schoben sich bäuchlings unter die Schlafpritschen und drückten vorsichtig die mit Wasser gefüllten Becher an die Wand, sodass sie vor den kontrollierenden Blicken durch das Guckloch in der Tür verborgen blieben. Mühsam zog sich der Erste Detektiv wieder hervor und richtete sich zu seiner vollen Größe auf. Er betrachtete seine Hände und schüttelte sie. Staubflusen segelten herunter. »Mann, bin ich voll getrunken«, sagte er und ließ sich rücklings auf das Feldbett fallen.

»Au! Pass doch auf, Dicker!«, schrie Bob auf, der noch halb unter der Pritsche lag.

»Entschuldigung«, murmelte Justus schuldbewusst. »Ist halt mein Wasserbauch.«

»Wasser? Ich dachte, bei dir sei das alles Speck!« Bob kam nun ganz hervorgekrabbelt und legte sich mit schmerzverzerrtem Gesicht auf das zweite Bett. »Schon gut, Dickbauch, war halb so wild«, murmelte er und warf seinem Freund einen spitzbübischen Blick zu. »Zweiter, was ist eigentlich mit deinem Krampf im Fuß?«, wandte sich Bob an Peter.

Schmunzelnd hob Peter das Dietrichset in die Luft. »Das habe ich gerettet. Es hing in meiner Jeans. Wenn ich auch nur einen Schritt getan hätte, wäre es herausgefallen.«

»Klasse, Peter!« Justus nickte anerkennend. »Nur schade, dass es uns hier nicht weiterhilft. Die Tür ist von außen mit einem Riegel gesichert.«

Peter setzte sich zu ihnen. »Tja, unsere Lage ist wirklich aussichtslos. Kaum sind wir der Wüste entronnen, laufen wir diesen verrückten Leuten in die Arme und das Wasser wird auch schon wieder knapp.«

»Du bist der geborene Schwarzmaler!« Justus streichelte seinen Bauch, in dem es munter gluckste. »Aber zugegeben, mit unseren Vorräten kommen wir nicht weit. Gregstone will uns mit allen Mitteln gesprächig machen. Das lässt natürlich nicht gerade auf eine geruhsame Zukunft hoffen.«

Peter stöhnte. »Der ist mir nicht geheuer, der Kerl. Ich glaube, der hat einen Verfolgungswahn. Und wie der angibt, mit seiner Intelligenz! Ich sage euch, der hat sie nicht mehr alle. Und ausgerechnet wir müssen dem über den Weg laufen.«

»Ich wäre ihm auch lieber woanders begegnet«, sagte Bob. Trotzdem war er froh, dass er aus der heißen Wüstensonne heraus war und seine Schwindelgefühle langsam nachließen.

»Was meinst du, Bob, was beschäftigt Doktor Gregstone, dass er so allergisch auf Besucher reagiert?«, grübelte Justus.

»Ich denke, er sucht nach Gold«, spekulierte Bob. »Ich habe euch doch erzählt, dass ich von den alten Goldgräbern gelesen habe.«

»Schon möglich.« Peter kratzte sich am Kopf. »Dann hat er aber neue Methoden.« Er blickte zur Tür, doch da schien alles ruhig. »Denn wie ein alter Goldgräber sieht Gregstone nicht aus. So mit Schaufel und Pistole und versoffenem Blick. Vielleicht ist unser Doktor ein Chemiker.«

Justus blickte ihn aufmerksam an. »Eine gute Spur, Peter. Vielleicht hängt das auch mit dem merkwürdigen Plastikteil zusammen, mit dem er dauernd gespielt hat.«

»Nein, das kann nicht sein!«, warf Bob ein. »Das hat mit Chemie nichts zu tun, oder höchstens am Rande. Es war ein Joystick von einem Computer. Man benutzt ihn für Computerspiele wie einen Steuerknüppel.«

»Na klar!« Justus nickte. »Hätte ich auch draufkommen können. Ist euch aufgefallen, wie er an dem Ding rumgedreht hat, wenn er nervös wurde?«

»Andere Leute rauchen Zigaretten, wenn sie unruhig sind. Dann ist mir so ein Spielzeug lieber«, kommentierte Peter trocken. »Hält die Luft reiner.«

Bob schielte zur Tür, an der sich nichts tat. »Bist halt ein Supersportler«, sagte er.

»Oder er ist ein moderner Geologe, der computergesteuerte Roboter suchen lässt«, sprach Justus in die Stille hinein.

»Wer?«, fragte Peter erstaunt. »Ich?«

»Nein, natürlich nicht du! Der Doktor!« Justus deutete auf den Berg von Computerausdrucken. »Das könnte den Stapel Papier da erklären . . . Moment mal!«

Er hielt auf einmal inne und lauschte. Auch Peter und Bob schwiegen. Sie hörten es alle. Fast unmerklich hatte sich das Geräusch in ihre Ohren geschlichen und nun wurde es lauter. Unaufhörlich schwoll es an, es klang wie ein Dröhnen, das tief aus der Erde zu kommen schien. Als ob ein Riesenstaubsauger eingegraben wäre. Das Geräusch wurde stärker, sodass der Boden zu zittern begann. Die Detektive sahen sich erschrocken an.

»Der summende Berg.« Peter sprach als Erster. »Es ist also doch wahr, was der merkwürdige Mann in Barstow berichtet hat.« Nervös blickte er sich um. »Aber was ist das bloß? Ein Erdbeben? Alles fängt an zu zittern!« Er sprang auf und blickte sich Schutz suchend um. »Was . . . was sollen wir tun?«

Doch Justus blieb sitzen. »Keine Panik, Peter. Das ist kein Erbeben. Das Geräusch ist zu gleichmäßig. Es klingt eher nach einer Maschine. Da muss der Doktor dahinter stecken. Vielleicht ein Riesenbohrer, der sich in die Erde gräbt.«

»Achtung! Unser Wasser!« Jetzt war es Bob, der aufsprang und unter das Feldbett robbte, unter dem sie die Wasserbecher abgestellt hatten. Gerade noch rechtzeitig, denn durch das Zittern des Bodens waren die Becher zusammengerückt und drohten umzukippen. Bob stellte sie weit genug auseinander. Als er kurz darauf wieder auftauchte, erstarb das Geräusch ebenso überraschend, wie es gekommen war.

»Was geht hier bloß vor«, flüsterte Peter, immer noch ganz bleich im Gesicht.

»Ich gebe zu, es ist unheimlich. Aber was es auch ist, wir werden es herausbekommen.« Mit einem Blick kontrollierte Justus die Tür. Dann sprach er leise weiter. »Wir wissen: Gregstone plant etwas, wobei wir ihn offensichtlich gestört haben. Er sprach davon, dass etwas Wichtiges kurz bevorsteht. Und auch der Junge, Ramirez, reagierte so nervös.«

»Er steckt mit in der Sache drin«, murmelte Peter. »Schade, der Mexikaner machte einen sympathischen Eindruck.«

Bob setzte sich wieder auf die Liege. »Er scheint nicht viel älter zu sein als wir. Vielleicht ein, zwei Jahre.«

»Hm, Ramirez . . .«, überlegte Justus. »Ist euch aufgefallen, wie er gesprungen ist, als Gregstone seinen Joystick verloren hatte?«

Peter nickte. »Klar. Es hat mich gewundert, dass er sich das gefallen lässt. Der Doktor sagte nur ›aufheben‹ und schon sprang sein Schoßhündchen herbei.«

»Ja, der Doktor scheint ihn in der Hand zu haben«, stimmte auch Bob zu.

Justus zog an seiner Unterlippe. »Vielleicht können wir Ramirez überzeugen, dass wir nichts gegen Gregstone im Schilde führen. Er scheint mir noch der Zugänglichste zu sein.«

»Stimmt. Denn dieser Butch ist ein Hohleimer.« Peter hüstelte. »Ein absoluter Nulldenker. Gerade mal gut genug, mit dem Gewehr herumzustolpern. Aber wie sollen wir bloß an Ramirez herankommen?«

»Wir müssen ihn alleine treffen«, sagte Justus. »Ohne Beisein des Doktors. Wenn wir wissen wollen, was hier vorgeht, müssen wir uns dringend ein wenig umsehen. Wenn nicht hier unten, so wenigstens draußen. Mich würde zum Beispiel interessieren, wo diese Reifenspur hinführt. Vielleicht ist da ja irgendein unterirdischer Verladeplatz oder so etwas Ähnliches. Von diesen Geheimgängen hier kennen wir bestimmt erst einen Bruchteil.«

Peter grinste. »Na, das hätten wir alles haben können, als wir noch draußen waren. Aber du wolltest ja unbedingt gleich in das Haus stürzen, Justus.«

»Die Reifenspur«, murmelte Bob abwesend. Er blickte auf. »Gut, dass du darauf hinweist. Wisst ihr: Der Klang eben, dieses Zischen und Beben ... Denkt bitte nicht, ich bin durchgeknallt, wegen meines Computerspiels, über das Peter sich vorhin so aufgeregt hat. Aber vielleicht hat die ganze Sache auch mit dem, nun ja, mit dem Flugzeug zu tun, das wir heute Nachmittag gesehen haben.«

»Wieso?«, fragte Peter zweifelnd.

»Na, das Geräusch klang wie eine Düse. Ein Düsentriebwerk. Und dann ist da noch diese Spur«, sagte Bob. »Die Reifenspur, die wir draußen gefunden haben. Sie muss nicht unbedingt von einem Lastwagen stammen, sondern sie könnte auch der Abdruck eines Flugzeugreifens sein.«

»Kein schlechter Gedanke«, gab Justus nachdenklich zu. »Das war überhaupt so ein merkwürdiges Flugzeug. So dick, grau, fast dreieckig, ganz ohne Beschriftung. Aber warum? Um Gold abzutransportieren? Oder ein Versuchsflugzeug?«

Justus zupfte an seiner Unterlippe. »Um Bobs Vermutung zu beweisen, müssten wir nach draußen gelangen. Denn wenn es ein Flugzeug ist, werden es drei Reifenspuren sein und nicht zwei wie bei einem LKW.«

»Genau«, spann Bob den Faden weiter. »Jeweils ein Reifen befindet sich unter dem linken und dem rechten Flügel, der dritte unter dem Rumpf.« Er sah Justus an. »Wir müssen uns was einfallen lassen. Vielleicht gibt es hier ja doch noch einen zweiten Ausgang. Wir sollten das Zimmer noch einmal genau unter die Lupe nehmen. Toilette, Wände, Decken, Boden. Auch diesen Papierberg sollten wir wegräumen.«

»Du glaubst wohl an Überraschungen?« Peter zweifelte.

»Erst mal ausprobieren, Peter! Die ganze unterirdische Anlage war doch verblüffend genug.« Seine Stimme wurde leiser. »Achtung Kollegen, wir werden wieder beobachtet.«

Justus, Peter und Bob taten so, als würden sie es nicht bemerken. Sie warfen sich auf die Betten und wechselten ohne Übergang das Thema auf die Sciencefiction-Kinotage, die sie eigentlich hatten besuchen wollen. Peter erzählte von ›Space Control‹, einem Film, den er bereits in Rocky Beach gesehen hatte.

»Klasse«, nahm Bob den Faden auf, »in so einem Streifen würde ich auch gerne mal mitspielen. Raus in den Weltraum, um die Erde fliegen, ferne Galaxien besuchen, mit der Laserkanone auf geheime Zentralen unterirdisch lebender Bösewichte zielen . . .«

»Frag mal Peters Vater«, schlug Justus vor, »der arbeitet doch bei den Special Effects.«

»So etwas wird heute leider nahezu alles im Computer simuliert«, erklärte Peter.

Bob schielte zur Tür. »Ich glaube, sie sind wieder weg«, murmelte er. Er stand auf, schlich sich an die Tür und blickte durch das Guckloch. Dann hielt er warnend seinen Finger vor den Mund und winkte Justus und Peter herbei. »Leise«, zischte er. Ganz gedämpft waren Stimmen zu hören. »Die hocken gegenüber in dem anderen Zimmer«, flüsterte Bob. »Sie hören gerade Nachrichten.« Er legte das Ohr an die Tür.

»Nachdem nun die Chinesen ebenfalls den Verlust eines Satelliten beklagen, spitzt sich die internationale Krise zu«, referierte er das, was er hörte. »Jetzt kommt was über eine neue Regierung in Rom, nun die Wettermeldungen: in den nächsten Tagen weiterhin heiß, heiß, heiß.«

Ungeduldig schob Justus ihn zur Seite, um ebenfalls an der Tür zu lauschen. Das Radio war abgeschaltet worden und nun konnten sie die Stimmen von Mr Gregstone und Ramirez erkennen. Es waren nur einzelne Worte zu verstehen.

». . . Versuch optimal verlaufen . . .«, sagte der Doktor gerade. Ramirez schien die Detektive zu erwähnen. ». . . besser woanders hinbringen?«

Gregstone antwortete und seine Stimme wurde lauter. ». . . nein, nein . . . können nicht raus . . .«

». . . Grubengänge?« Das war Ramirez. Warum sprach er bloß so leise.

Gregstone schien verärgert zu sein. Jedenfalls konnte man ihn nun deutlicher verstehen. »Ramirez, die ist verschlossen. Und außerdem ist das ein Labyrinth. Da würden die Jungs nie und nimmer rausfinden. Ganz abgesehen davon, dass diese Dinger einsturzgefährdet sind! Da graben sie sich buchstäblich ihr eigenes Grab. Nein, Ramirez, nun sei mal nicht panisch. Sollen sie doch reingehen! Wenn sie es tun, sind wir das Detektiv-Problem auf ganz galante Weise los.« Er lachte böse. »Ramirez, wir ziehen alles wie geplant durch. Ist das klar?«

Ramirez antwortete etwas, was die Detektive nicht verstehen konnten. Dann waren Schritte zu hören, wahrscheinlich die von Butch. Die Detektive liefen zurück und warfen sich auf die Betten. Gerade noch rechtzeitig, denn schon blickte wieder ein Auge auf sie herab. Das Auge verschwand und Butch schien sich zu Ramirez und Gregstone zu begeben. »Da bist du ja endlich, Butch«, hörten sie Gregstone rufen. Dann schloss sich mit einem lauten Schlag die Tür.

»Mensch, habt ihr das mitbekommen?« Bob war ganz aufgeregt. »Hier gibt es Grubengänge. Es muss sich also doch um einen alten Goldgräberstollen handeln.«

»Aber die Gänge sind einsturzgefährdet«, zischte Peter. »Du hast es doch selbst gehört. Wenn man sich da reinwagt, betritt man sein eigenes Grab.«

Justus hob beschwichtigend die Hände. »Immer mit der Ruhe! Eins scheint jedenfalls klar: Von diesem Zimmer aus muss es einen Zugang zu dem Bergwerk geben. Darauf wollte Ramirez den Doktor hinweisen. Wir sollten den Einstieg auf alle Fälle suchen!«

# Acht

»Viele Möglichkeiten gibt es ja nicht!« Die Hände in die Hüften gestemmt stolzierte Peter durch den Raum und blickte sich um. »Wenn hier eine Geheimtür sein soll, dann entweder in der Toilette oder unter dem Papierstapel. Ansonsten sieht alles nach soliden Betonwänden aus.«

Justus nickte, winkte Bob herbei und zusammen begannen sie die Papierstapel abzutragen. Sie wählten die von der Tür abgelegene Seite. Damit ihre Arbeit nicht weiter auffiel, schoben sie die weggeräumten Computerausdrucke sofort unter die Betten. Peter hielt unterdessen an der Tür Wache, doch aus dem Raum, in dem Gregstone, Ramirez und Butch miteinander sprachen, drang kein Laut.

Nach einigen Minuten emsiger Tätigkeit atmete Justus erleichtert auf. »Hier ist eine Ritze«, murmelte er. Hastig schob er die nächsten Papierlisten zur Seite. »Tatsächlich. Eine Klappe im Boden.«

Bob beugte sich über ihn. »Aber sie ist verschlossen«, sagte er. »Peter, dein Einbruchswerkzeug scheinen wir nun doch gut gebrauchen zu können. Es gibt eine Schlüsselöffnung.«

Peter warf noch einen Blick durch das Guckloch, dann trottete er bewusst langsam herbei. »Ich wüsste nicht, wozu ich die Tür öffnen sollte«, sagte er. »Ihr habt es doch gehört. Die Gänge sind höchst einsturzgefährdet. Sich reinzuwagen wäre unser sicherer Tod.«

»Sollen wir hier verdursten?« Justus sah seinen Freund auffordernd an. »Los, mach schon. Dann sehen wir weiter. Bob, pass du solange am Guckloch auf.«

Peter holte sein Etui hervor und zog den passenden Dietrich heraus. Langsam führte er ihn in das Schlüsselloch ein und begann damit, es vorsichtig von innen her zu erkunden.

Ruhig drehte Peter den Dietrich im Kreis. Nach einer Minute

bekam er endlich die richtige Stelle zu fassen. Im Schloss gab es ein vernehmbares Klicken. Der Zweite Detektiv grinste zufrieden. Er hakte den Dietrich in der Schlossumrandung fest und zog an. Langsam hob sich die Tür. Ein muffiger Luftstrom kam ihm entgegen.

»Was ist zu sehen?«, fragte Bob aufgeregt. Neugierig blickte er zu seinen Freunden hinüber.

Justus legte sich auf den Boden und tastete durch die Öffnung.

»Nichts«, sagte er, »ein dunkles Loch. Muss ziemlich tief sein.« Er setzte sich wieder auf. »Aber der Gang scheint irgendwo einen Ausgang zu haben. Sonst käme nicht dieser leichte Luftzug heraus. Am besten, einer von uns steigt runter und sucht den Weg.«

»Warum sollen wir nicht gleich alle abhauen?« Bob sah ihn fragend an.

Peter lachte. »Abhauen? Mich kriegt ihr da nicht rein. Ehe ich verschüttet werde und grausam ersticke, halte ich es lieber noch eine Weile hier aus.«

Justus nickte. »Im Grunde hat Peter Recht. Vermutlich sind diese alten Stollen wirklich gefährlich. Keiner würde uns zu Hilfe kommen. Aber einer muss trotzdem runter und die Lage wenigstens mal erkunden. Die anderen beiden warten hier, um zu helfen, falls unter der Erde etwas passiert.«

»Na dann viel Spaß!« Peter legte sich auf das Bett und sortierte sein Werkzeug säuberlich wieder ein. »Ich stehe für diese Operation, wie gesagt, nicht zur Verfügung.«

»Aber es ist dein Job!« Justus sah ihn verärgert an.

»Mein Job? Wo steht das?«

»Nirgends, aber ...«

»Siehst du!«

»Aber ... in solchen Situationen holst oft genug du die Kohlen aus dem Feuer!«

»Heute habe ich leider einen Krampf im Fuß«, behauptete Peter und grinste über beide Ohren.

»Ich auch«, beeilte sich Bob schnell zu sagen. Er war zwar dafür gewesen, die Tür zum Bergwerkstollen zu öffnen, aber alleine wollte er auch nicht hinein.

»Ihr Schlappschwänze!« Justus ächzte. »Na gut, dann, äh . . .«

»Dann?«

»Dann gehe eben . . .«

»Eben wer, Justus, du?« Peter sah ihn an. »Ich glaube es nicht!«

»Ach quatsch. Bob, geh du!«

»Nein!«

»Du hast doch die Idee mit dem Flugzeug gehabt!«

»Und dafür werde ich jetzt bestraft?«

»Du darfst deine Theorie halt selbst nachprüfen.«

»Sehr nett, Justus, aber vielen Dank!«

Peter lehnte sich entspannt zurück. »Wenn ihr noch lange so weiterstreitet, kommt unser Freund Butch und steckt euch beide in die Öffnung. Dann habe ich wenigstens Ruhe hier.«

»Peter hat Recht«, sagte Justus. »Wir sind zu laut. Also Bob, mach schon. Ich bin sowieso zu dick für schmale Grubengänge.«

»Zu dick! Oh, Mann!« Bob stöhnte. Ihm war klar, dass sie es probieren mussten. Wenn er vorsichtig genug wäre, ganz sachte aufträte . . . Warum sollte ausgerechnet jetzt die Erde einbrechen. Und verdursten wollte er hier auch nicht. »Verdammt auch«, sagte er. »Das ist ja eine unheimlich tolle Auswahl.«

»Na also, Bob!«

»Aber nur, wenn ich die Taschenlampe bekomme.«

»Klar, Bob.«

»Und nur, wenn ihr mich wieder ausbuddelt.«

»Logisch, Bob. Machen wir.«

»Und wenn das nächste Mal wieder einer von euch dran ist.«

»Natürlich, Bob.«

»Herrje! Also gut.« Bob lief zur Luke, bückte sich und sah in das dunkle Loch hinein. Dann nahm er einen der Papierstapel und ließ ihn hinunterfallen. Gleich darauf hörten sie das Papier unten aufprallen. »Tief ist es nicht«, sagte Bob erleichtert. »Vielleicht zwei Meter.« Er richtete sich auf. »Und tut mir einen Gefallen.«

»Noch einen?«, fragte Justus.

»Knüllt eine Menge Papier auf das Bett und zieht die Decke drüber, sodass Butch denkt, ich würde da liegen und schlafen, wenn er mal wieder auf Kontrollgang ist.«

»Gute Idee, machen wir.«

»Und noch was: Ich bekomme eine Extraration Wasser.«

»Das hatte ich befürchtet«, sagte Justus. »Muss das sein?« Peter rollte sich unter das Bett und zog einen der Becher hervor. Wortlos reichte er ihn Bob.

»Also gut«, sagte Justus. »Einverstanden.«

»Du bist ohnehin überstimmt«, grunzte Bob und nahm einen Schluck. »Also dann, Sportsfreunde, die Taschenlampe.« Justus gab sie ihm. »Da. Nun troll dich schon.«

Bob setzte sich auf die Kante des Einstiegs, holte tief Luft und sprang. Mit einem dumpfen Schlag landete er einen Stock tiefer auf dem lehmigen Boden. Er rappelte sich auf. »Nichts passiert«, meldete er nach oben. Seine Stimme klang etwas zittrig. Dann schaltete er die Lampe an. »Ein dunkler Gang. Sieht ziemlich alt und bröselig aus. Kein Vergleich zu oben.«

»Okay. Viel Glück. Pass auf dich auf.«

»Danke für diesen hilfreichen Ratschlag. Hätte von meiner Mutter sein können. Und vergesst bitte nicht: Holt mich hier raus, wenn was passiert!«

»Ja klar.«

»Ach, noch was, Justus ... Werft ein paar Papierstapel runter, dass man leichter wieder raufkommt. Zum Klettern.«

Justus nickte.

Sobald Bob verschwunden war, nahm Peter einen der Computerausdrucke und begann damit, das Bett so herzurichten, dass es aussah, als schlafe dort eine Person. Währenddessen schubste Justus ein paar der Listen in den alten Grubengang und schloss die Klappe. Er lief hinüber zum Guckloch und kontrollierte den Gang, dann half er Peter beim Ausstaffieren des Bettes. Nach kurzer Zeit waren sie fertig.

»Hoffentlich können wir Bob überhaupt noch hören«, sagte Peter, als er sich nach vollbrachter Arbeit auf das Bett setzte. Justus wühlte in seinem Rucksack herum, bis er seine Uhr fand. »Ich denke schon.« Er blickte auf das Ziffernblatt. »Spät genug, tun wir so, als legten wir uns schlafen.«

Justus löschte das Licht, ließ aber die Lampe in der Toilette brennen, sodass Butch, falls er wieder durch das Guckloch spähte, schemenhaft drei Körper auf den Pritschen erkennen würde. So lagen sie ruhig atmend nebeneinander und warteten auf Bobs Rückkehr.

Lange Zeit geschah nichts. Sie hörten nur ihrer beider Atem. Es war die erste Pause, die sie an diesem aufregenden Tag hatten. Justus wurde müder und müder. Er dachte an die Hitze der Wüste, sah vor sich noch einmal das Flugzeug die tiefe Kurve fliegen. Es flog und flog, es flog im Kreis. Die Farben zerflossen ineinander und nach kurzer Zeit war er eingenickt. Irgendwann schüttelte ihn Peter an den Schultern. »Es geht wieder los«, zischte er aufgeregt. »Los, komm schon, Just. Das Summen. Es ist wieder da!«

Sofort war Justus hellwach. Tatsächlich. Es war dasselbe Geräusch, das sie schon einmal gehört hatten. Der Boden begann bereits leicht zu vibrieren. »Verdammt«, sagte Justus und sprang auf. »Ausgerechnet jetzt. Bob ist in den Stollen. Und Schwingungen von dieser Stärke können durchaus einen unterirdischen Erdrutsch auslösen!«

# Sieben

Nachdem Bob in den alten Goldgräberstollen gesprungen war, begann er sich vorsichtig durch den Gang zu tasten. An einigen Stellen war bereits etwas Geröll von den Seiten hereingerutscht und auch der eine oder andere Stützbalken hing abgebrochen in den Weg hinein. Doch Bob kam auch bei den engeren Stellen problemlos durch. Er erreichte eine Weggabelungen und hielt sich in die Richtung, in der er den Ausgang vermutete. Mit roter Kreide markierte er den Gang, aus dem er gekommen war. Er erreichte weitere Abzweigungen und wählte die Richtung nach seinem Gefühl. Doch je weiter er kam, umso unsicherer wurde er, ob er nicht in den Berg hineinstieß, anstatt sich auf die Seite zuzubewegen, auf der der Salzsee lag. Er ärgerte sich, dass er sich von Justus und Peter hatte überreden lassen, hier überhaupt alleine hinunterzusteigen. Für einen Helden war er eigentlich nicht geboren. Da ließ er lieber Peter voran, obwohl der zunächst immer in allem die schlimmsten Katastrophen befürchtete.

Die nächste Dreiergabelung, die Bob vor sich auftauchen sah, kam ihm bekannt vor. Tatsächlich, hier war auch das Kreidezeichen, das er auf einem Stein hinterlassen hatte. Vorhin hatte er sich für den mittleren der drei Wege entschieden, da der linke von Geröll verschüttet war. Genau durch diesen mittleren war er nun auf unerklärliche Weise zurückgekommen.

»Dann also den rechten«, murmelte Bob. Die Sache begann verzwickt zu werden. Nervös schaute er auf seine Armbanduhr. »Wenn ich in fünf Minuten nichts Erfolgversprechendes entdeckt habe, breche ich die Aktion ab«, beschloss er. »Hoffentlich finde ich überhaupt noch zurück.« Da er den Eindruck hatte, dass das Licht der Taschenlampe schwächer wurde, schaltete er sie aus. Der Gang, in dem er sich gerade vorwärts tastete, verlief ein längeres Stück geradeaus und er konnte problemlos einige Meter an der Wand entlanggleiten. Plötzlich berührte seine Hand eine glatte kühle Fläche. Er schaltete die Lampe wieder an. Etwa in Brusthöhe war eine Metallplatte in die Wand eingelassen worden, sie sah aus wie eine kleine Stahltür. An ihrer rechten Seite war ein Hebel angebracht. Bob versuchte ihn herunterzuziehen, doch er klemmte. »Wahrscheinlich ist er jahrelang nicht mehr benutzt worden«, murmelte Bob. Mit beiden Händen griff er den Hebel und hängte sich mit seinem gesamten Gewicht daran. Mit einem quietschenden Ruck gab der Griff nach.

Lichtstrahlen fielen durch die entstandenen Ritzen. Bob wartete einen Moment, ob sich auf der anderen Seite etwas rührte. Als alles ruhig blieb, zog er die Tür ganz auf. Zuerst schloss er geblendet die Augen. Als er sich an das grelle Neonlicht gewöhnt hatte, sah er, dass er auf einen Gang gestoßen war, der ähnlich aussah wie der, durch den sie Butch geführt hatte. Er musste zu dieser unterirdischen Anlage gehören. Weiß getünchte, neonbeleuchtete Betonwände, die zu beiden Seiten eine Kurve beschrieben, sodass der Gang weder links noch rechts ganz einsehbar war.

Mit einem Klimmzug zog sich Bob hoch, schob sich durch die Öffnung und ließ sich auf der anderen Seite hinunter. Seine Anspannung stieg. Hoffentlich war Butch nicht wieder unterwegs, um nach Problemen zu suchen. Bob überlegte kurz und entschied sich dann für die rechte Seite. Dort vermutete er das Zimmer, in dem sie gefangen gehalten wurden. Vielleicht konnte er seine Freunde ja befreien. Auf Zehenspitzen lief er los.

Er war noch nicht weit gekommen, als er erschrocken innehielt. Er hatte ein Glasfenster erreicht, das seitlich in die Wand eingelassen war. Es gab den Blick frei in einen Raum, in dem mehrere Computer standen. Auch ein Kühlschrank war zu sehen, auf ihm eine Kaffeemaschine, daneben ein Tisch und mehrere Stühle. Aber das alles interessierte Bob in diesem Moment wenig.

Mit dem Rücken zu ihm saß Doktor Gregstone und tippte wild auf der Tastatur seines Computers. Sein ganzer Körper war in Bewegung. Sein Oberkörper glitt vor und zurück, während die Hand nervös den Computerstick suchte. Ab und zu stieß Gregstone Rufe aus, die selbst durch das dicke Glas zu hören waren. Das, was er da tat, musste ihn offensichtlich sehr aufregen.

Bob beugte sich vor, um genauer zu sehen, was auf dem Bildschirm ablief. Doch leider nahm ihm der Doktor komplett die Sicht.

Plötzlich sprang Gregstone mit einem lauten Schrei auf. Wütend schlug er mit der Faust auf den Tisch. Dann drehte er sich zur Seite und trat so fest gegen seinen Stuhl, dass dieser quer durch den Raum flog.

Erschrocken über diesen unkontrollierten Zornesausbruch war Bob vom Fenster zurückgewichen. Doch der kleine Augenblick hatte genügt. Er hatte das Zeichen erkannt, das kurz auf dem Bildschirm aufgeblitzt war. Es war der Schriftzug ›Master of the Universe‹. Bob kannte diese Bezeichnung. Sie stammte aus dem Computerspiel, von dem er Justus und Peter berichtet hatte.

Gregstone spielt also auch dieses Spiel, schoss es Bob durch den Kopf, während er den Gang zurückhastete. Daher auch der Spruch, mit dem sich Gregstone ihnen vorgestellt hatte. Er sei die universale Intelligenz – an diese Worte konnte Bob sich erinnern. Der Doktor musste auf einer ganz hohen Spielebene sein. Dieses Zeichen, das da aufgeblinkt war, Master of the Universe, Herr des Universums, das war die Raketen- und Raumschiffebene. Nur ganz wenige Spieler konnten es bis hierher geschafft haben. Von dieser Ebene aus war die Erde unter Kontrolle. Jetzt folgte nur noch die Beherrschung des Weltalls. Das war das Ziel des Spiels.

Da er sich unsicher war, ob Gregstone ihn nicht doch noch bemerkt hatte, drehte sich Bob beim Laufen immer wieder um. Doch offenbar wurde er nicht verfolgt.

In seiner Aufregung hatte Bob nicht bemerkt, dass er die Metalltür, durch die er gekommen war, längst passiert hatte und bereits ein ganzes Stück auf die entgegengesetzte Seite des Ganges geraten war.

Plötzlich blieb er überrascht stehen. Er war an eine zweite Glaswand gelangt. Und was er jetzt sah, erstaunte ihn noch weit mehr, als das, was er zuvor beobachtet hatte.

Erschrocken, aber auch fasziniert starrte Bob durch das Fenster. Es gab den Blick frei in eine weite, graue Halle eines Ausmaßes, wie es Bob hier unten nicht vermutet hätte. Die Wände und auch die Decke waren wie in einer Kuppel abgerundet. Von allen Seiten durchzogen riesige Metallgerüste die Szenerie. Und mitten in ihnen, als hätten sie es eingefangen, sah Bob das silbrig-graue Flugzeug, das auf einer langen Schiene steckte, die schräg unten aus einer Wand herauszukommen schien. Bob bückte sich und sah, dass die Schiene nach oben anstieg, zur Decke der Halle führte und dort in einer schwarzen Röhre verschwand.

Alles sah aus wie aus einem Zukunftsfilm oder einem Fantasiespiel, doch Bob war klar, dass das hier kein Traum, sondern Realität war. Er hatte das Flugzeug sofort erkannt. Hier unten im geschlossenen Raum wirkte es viel größer als am Nachmittag, als es knapp über den Köpfen der drei ??? hinweggesaust war. Ein paar helle Scheinwerfer strahlten das Flugzeug an, und an den Stellen, an denen sie auf seine Außenhülle trafen, glänzte die graue Farbe. Wie ein kleiner, dicker Wal, aber mit Flügeln, dachte Bob. Das Flugobjekt war also doch hier gelandet, wahrscheinlich auf dem Salzsee. Danach musste es durch eine Geheimtür im Bergmassiv hier in die Halle gefahren worden sein. Ganz so, wie er vermutet hatte. Eine Halle, die extra für Flugzeuge gebaut worden war.

Weitab in der Wüste, konstruiert von einem Doktor, der ebenso unzugänglich war wie die Wüste selbst. Aber warum ausgerechnet hier? Eigentlich gab es nur eine Erklärung: weil niemand von diesem Flugzeug wissen durfte.

Bob bemerkte, dass die Einstiegsluke für den Piloten geöffnet war, aber einen Menschen entdeckte er nicht. Auch nicht auf der kleinen schwenkbaren Brücke, die von der Seite aus zu der Luke hinführte. Fasziniert ließ er den Blick am klobigen Körper des Flugzeuges entlangstreifen. Auf seinem hinteren Leitwerk entdeckte er einen rötlich leuchtenden Schriftzug: ›Masterplane‹, stand da geschrieben.

Auf einmal blinkten die Lichter an den Flügeln auf und erloschen wieder. Sie spiegelten sich an den Wänden der unterirdischen Halle, die metallisch schimmerten.

Dann fielen Bobs Augen auf zwei wulstige Behälter, die unter den Flügeln des Flugzeuges angebracht waren. Er war sich beinahe sicher, dass sie tagsüber noch nicht anmontiert gewesen waren. Es sah so aus, als sollten sie dem Flugzeug durch zusätzliche Raketenantriebe mehr Schubkraft verleihen. Das Flugzeug hatte auch hinten einen Raketenantrieb. Mit einem Mal wusste Bob Bescheid. Was er vor sich hatte, war kein normales Flugzeug. Es war ein Space-Shuttle. Ein Raumfahrzeug, das über diese riesige Schiene in den Weltraum geschossen werden konnte, um nach seiner Weltraummission dann wie ein Flugzeug auf der Erde zu landen.

Doch die Space-Shuttles, die Bob aus dem Fernsehen kannte, waren größer und voluminöser. Dieses hier schien ein neues Modell zu sein. Nun war klar, warum das Fluggerät auf diese schräg nach oben gerichtete Rampe aufgesetzt war. Sie diente als Startrampe für die Reise ins All. Vor einigen Wochen erst hatte Bob eine Radiosendung gehört, in der über eine Versuchsreihe der Weltraumbehörde berichtet wurde, mit Magnetstartrampen ins All zu fliegen. Doch dem Bericht zufolge hatte man diese Versuche aufgegeben ...

Er bückte sich tiefer, um zu sehen, wohin die Rampe zielte. Nun konnte er weiter in die Röhre blicken. Ganz am Ende, einige hundert Meter entfernt, gab sie die Sicht frei auf einen kleinen Ausschnitt des dunklen, sternenübersähten Nachthimmels.

Einen Moment lang war Bob in den Anblick versunken, der ihn sogartig anzuziehen schien. Er hatte schon immer davon geträumt, selbst einmal mit so einem Gerät in den Weltraum zu fliegen.

Plötzlich weckte ihn ein leises Surren aus seiner Betrachtung. Die Brücke, auf der die Astronauten den Shuttle besteigen konnten, schwang langsam zurück. Die Einstiegshaube schloss sich. Bob blickte sich um, konnte aber immer noch keinen Menschen entdecken. Alles schien hier von Geisterhand vor sich zu gehen. Vermutlich von äußerst moderner Geisterhand: computergesteuert. Aber wo saß derjenige, der die Befehle eingab? Gregstone war ja mit dem Computerspiel beschäftigt gewesen. Butch schied für Bob aus. Er war wohl eher fürs Grobe zuständig. Also musste es Ramirez sein.

Das Brausen schwoll an. Das war also die Ursache für das erdbebenartige Geräusch, das sie gehört hatten, dachte Bob. Der summende Berg: Es waren Testläufe der Triebwerke. Stand ein Start des Shuttles bevor?

Der Raumgleiter fing an zu vibrieren. Bob wunderte sich, weshalb aus den Triebwerken kein Rauch hervorquoll, denn der Geräuschpegel stieg ständig an. Es klang inzwischen eher nach einer elektrischen Maschine als nach einem Düsentriebwerk, und die rüttelnde Kraft des Lärms überraschte Bob. ›Masterplane‹ schien sich losreißen zu wollen ins All: Das Flugzeug zerrte an seiner Halterung wie ein wilder Hund an der Leine, doch die Stahlklammern gaben es nicht frei.

Bob atmete aus. Viel zu lange hatte er sich von diesem faszinierenden Schauspiel ablenken lassen. Jeden Moment konnte jemand auftauchen, um ihn auf mehr oder auch weniger angenehme Art und Weise wieder zu den anderen zu befördern. Dann war es aus mit dem Herumspionieren. Er musste dringend den Rückzug antreten.

»Hände hoch!«

Bob fuhr zusammen und drehte sich zögernd um. Es war Ramirez. Bob war dermaßen in seine Betrachtung versunken gewesen, dass er ihn nicht gehört hatte. Aber dort stand der Mexikaner, wenige Meter entfernt, und richtete mit der einen Hand eine Pistole auf ihn. Unter seinem anderen Arm klemmte ein kleiner brauner Koffer, den er angstvoll an sich presste. Er musste etwas sehr Wertvolles enthalten.

»Mach schon! Hände hoch!« Seine Stimme klang schrill. Er zitterte vor Nervosität.

Bob wusste, dass nervöse Menschen mit einer Waffe in der Hand zu unüberlegten Handlungen neigen. »Bleib ruhig, Ramirez«, sagte er deshalb und hob leicht die Hände, »ganz ruhig. Es ist nichts passiert. Du hast alles unter Kontrolle.«

Als Bob sah, dass Ramirez mit dem Daumen ungeschickt am Entsicherungshebel der Waffe herumhantierte, ihn aber noch nicht umgelegt hatte, rannte er einem plötzlichen Impuls folgend los. Er hörte, wie Ramirez den Koffer fallen ließ und die Verfolgung aufnahm.

Nach wenigen Sekunden hatte Bob die kleine Stahltür erreicht, durch die es in die alten Goldgräberstollen ging. Er öffnete sie, zog sich hoch und schob sich hindurch. Gerade als er sich auf der anderen Seite wieder aufrappelte, tauchte in der Öffnung Ramirez' Pistole auf. Trotz der Dunkelheit lief er sofort los. Nach wenigen Schritten stieß er an eine Wand und kam ins Stolpern. Er zog seine Taschenlampe hervor, schaltete sie an und rannte weiter. Vielleicht würde der Vorsprung reichen, um seinen Verfolger im Dunkeln zurückzulassen.

Doch Ramirez war wendig. Als Bob über die Schulter blickte, sprang der Mexikaner bereits in den Stollen. Bob rannte weiter. Er erreichte eine Weggabelung und lief ohne lange zu überlegen in den linken Gang. Sofort bekam er Zweifel, ob er auf dem Hinweg hier entlanggekommen war. Das Summen des Shuttles wurde immer lauter und überlagerte das Geräusch der Schritte hinter ihm. Bob blickte erneut zurück: Ramirez war dicht hinter ihm und hatte ihn jetzt auf der Geraden genau im Blick. Bob war exakt in der Schusslinie.

»Stehen bleiben«, schrie Ramirez atemlos, fast flehend. »Ich darf dich nicht laufen lassen! Bleib sofort stehen. Ich schieße!«

Bob spurtete weiter. Schon wieder kam er an einer Weggabelung vorbei, die er nicht kannte. Plötzlich verengte sich der Gang. Die Erde war an beiden Seiten heruntergerutscht und hatte nur noch eine schmale Öffnung freigelassen. Wenn er da nicht durchpasste, war es aus: Dann hatte ihn Ramirez auf dem Präsentierteller!

Kopfüber zwängte sich Bob durch das Loch. Er achtete nicht mehr darauf, dass diese Gänge einsturzgefährdet waren. Entscheidend war, dass der Stollen auf der anderen Seite keine Sackgasse bildete. Bob arbeitete mit Händen und Füßen. Gerade noch rechtzeitig konnte er die Beine durch den Spalt ziehen. Ramirez war bereits am Engpass angekommen.

Als der Mexikaner kurz darauf ebenfalls in die Öffnung robbte, löste sich ein Schuss. Bob hörte die Kugel an seinem Kopf vorbeisausen. Mit einem dumpfen Geräusch schlug sie dicht hinter ihm in der Erde ein. Bob leuchtete hin und erschrak. Er stand vor einer Wand. Der Gang war zu. Er saß in der Falle.

Hinter ihm hörte er Ramirez schnaufen. Irgendwie schien er sich in der schmalen Öffnung verklemmt zu haben und kam nicht mehr weiter. Sein Verfolger steckte in der Erde und fluchte. Von den Wänden her rutschte Sand auf ihn zu. Wahrscheinlich hatte der Schuss den Erdrutsch ausgelöst, oder die Triebwerke des Flugzeugs, oder auch Ramirez selbst. Jedenfalls hielten die Wände nicht mehr, Erde kam herunter, dann rutschte Geröll nach und wie in Zeitlupe floss das gefährliche Gemisch auf den immer noch am Boden eingezwängten Ramirez zu.

Entsetzt starrte Bob auf das, was sich im Licht seiner Lampe abspielte. Die Erdlawinen bedeckten bereits die Beine des Jungen. Bob beleuchtete die Wand, von der sich mit einem Rumpeln gerade ein weiterer Schub Erde löste. Augenblicklich war Ramirez bis zur Hüfte zugeschüttet. Verzweifelt versuchte er mit den bloßen Händen den Sand wegzuschaufeln. Doch gegen die immer wieder neu hereinbrechenden Massen kam er nicht an.

Wenn ich nichts tue, stirbt er, schoss es Bob durch den Kopf. Er schloss kurz die Augen. Dann legte er entschlossen die Taschenlampe auf den Boden. Auf allen vieren kroch er zu Ramirez und reichte ihm die Hand. Der Mexikaner ergriff sie mit beiden Händen und Bob zog an. Der aufgewirbelte Staub nahm ihm die Sicht und brannte in den Augen.

»Spann die Muskeln an«, rief er und hustete. »Sonst kugele ich dir die Arme aus.« Bob zerrte immer heftiger. Mit einem kräftigen Ruck bekam er den Jungen endlich frei. Bob griff ihm unter die Arme und schleifte ihn ein kleines Stück weiter, sodass sie vor dem hereinbrechenden Geröll vorerst in Sicherheit waren. Ramirez stöhnte und hielt sich sein Bein.

»Oh verdammt«, hustete er, »das war knapp. Ich danke dir.« Bob wusste nicht, was er sagen sollte. Er hatte aus dem Augenblick heraus gehandelt und dem Jungen das Leben gerettet: Ramirez, der schließlich auch sein Verfolger war.

»Noch sind wir hier nicht raus«, sagte Bob. »Auch wenn gerade keine Erde mehr nachrutscht: Auf uns kommt viel Arbeit zu, wenn wir hier lebend entkommen wollen.«

# Sechs

Als sich der Staub etwas gelegt hatte, stand Bob auf. Augenblicklich stieß er mit dem Kopf an die Decke. Sand rieselte herab.

»Vorsicht«, zischte Ramirez, der auf dem Boden lag und mit dem Rücken an der Wand lehnte.

»Ja, ja.« Bob schaltete seine Taschenlampe an und tastete sich weiter. Viel Platz war ihnen nicht geblieben. Auf der einen Seite, gerade mal gut einen Meter entfernt, war der Gang zu Ende. Und auf der anderen, von der sie gekommen waren, hatte ein Erdrutsch den Durchgang versperrt. Das Geröll reichte knapp bis an die Stelle, an der sie saßen.

Verzweifelt entfernte Bob ein paar Brocken, doch die Erde schien dadurch erneut Fahrt zu kommen. Gerade noch rechtzeitig zog Bob seinen Fuß zur Seite, sonst hätte ihn ein dicker Stein getroffen, der sich aus der Wand gelöst hatte. Also gab Bob auf und setzte sich wieder neben Ramirez, der vorsichtig an seinem Bein herumdrückte.

»Gebrochen ist, glaube ich, nichts«, sagte er und blickte Bob an. »Als ich mich durch den Spalt zwängte, rutschte ein Balken herunter und drückte mich nach unten. Dabei löste sich der Schuss. Ich wollte dich nicht treffen.« Er stockte, als schien er zu überlegen, dann fuhr er leise fort: »Ich danke dir jedenfalls. Außer Greg hat mir noch nie jemand geholfen. Und bei dir zählt es besonders: Denn wenn du es nicht getan hättest, wärst du mich endlich los gewesen.«

Bob nickte. »Jetzt müssen wir zusammenhalten«, sagte er. »Sonst sind wir verloren.« Bob betrachtete das fahle Licht seiner Taschenlampe. »Ich mache sie besser aus. Vielleicht kann sich die Batterie ein wenig erholen. Und außerdem sieht man dann nicht so genau, wie wenig Platz uns noch geblieben ist. Ist schon verdammt eng hier unten.«

Sie schwiegen. Plötzlich spürte Bob, wie er Platzangst bekam. Ihm wurde heiß. Zwanghaft versuchte er an etwas anderes zu denken und blickte angestrengt in die Dunkelheit.

»Hoffentlich reicht die Luft«, sagte Ramirez nach einer Weile. »Irgendwann vergiften wir uns selbst, wenn wir immer dieselbe Luft ein- und ausatmen.«

»Vergiften?«, fragte Bob und setzte sich kerzengerade auf.

»Ja«, antwortete Ramirez leise. »Die Höhle ist doch total abgedichtet, oder? Und groß ist sie auch nicht gerade.«

»Hm.« Bob schnappte sich die Taschenlampe und suchte die Wände ein zweites Mal ab. Er fand keine Lücke. »Was meinst du, wie lange wird die Luft halten?«

»Ein oder zwei Stunden? Ich weiß es nicht.« Ramirez stöhnte auf und hielt sich das Bein. »Ich habe mal davon gelesen. In U-Booten ist das passiert. Wenn sie nicht wieder hochkamen und unter Wasser bleiben mussten. Man atmet weiter, ganz normal, aber unmerklich wird der Sauerstoff in der Luft immer weniger und dann ...«

»Und dann?«

»Dann wird man langsam müder und müder, bis man ...«

»Also müssen wir ruhiger atmen«, sagte Bob, »und uns nicht zu sehr anstrengen.« Er musste gähnen und erschrak selbst darüber. »Sprechen wir von etwas anderem«, schlug er vor, um sich von seinen dunklen Gedanken abzulenken. »Warum habt ihr eigentlich den Antrieb des Raumschiffes gestartet? Vermutlich ist der Stollen durch die Erschütterungen eingestürzt.«

»Probeläufe«, antwortete Ramirez. »Ein neuartiger Spezialantrieb. Zusammen mit dem Düsenantrieb einfach genial. Greg hat ihn entwickelt.«

»Wie funktioniert das System?«, fragte Bob schnell nach. Ramirez zögerte, gab dann aber nach. »Es ist ein neues Startverfahren«, sagte er. »Das Raumschiff wird durch starke Magnetfelder herausgeschleudert und erst draußen startet das

Raketentriebwerk. So kann man auf die großen und gefährlichen Feststoffraketen verzichten und das Fluggerät kleiner und handlicher bauen.«

Bobs Gedanken wanderten wieder zu ihrer ausweglosen Situation zurück. »Kennst du dich eigentlich gut aus hier in diesen alten Gängen?«, wollte er wissen.

»Nein, überhaupt nicht. Ich war noch nie vorher drin. Es sind gefährliche alte Goldgräberstollen. Aber sie haben den Goldsuchern kein Glück gebracht. Die meisten haben kaum etwas gefunden. Außer den eigenen Tod.« Der junge Mexikaner lachte verzweifelt auf. »Vor allem durch Erdrutsche.«

»Finde ich nicht witzig.« Bob unterdrückte ein erneutes Gähnen und zwang sich, aus Ramirez noch ein paar weitere Neuigkeiten herauszubekommen. »Und oben diese neu gebauten Betongänge?«, fragte er. »Was ist das für eine Anlage?«

»Weißt du das wirklich nicht? Ich denke, ihr sollt uns hier ausspionieren?«

Bob schüttelte den Kopf. »Nein, Ramirez. Doktor Gregstone verdächtigt uns ohne Grund. Wir haben wirklich von niemandem den Auftrag bekommen. Wir sind zufällig hier.«

Ramirez schwieg und Bob sprach weiter. »Aber nun sind wir natürlich neugierig geworden«, gab er zu. »Und vielleicht kannst du mir ja einiges erklären. Hat der Doktor die unterirdische Abschussbasis gebaut?«

»Nein.« Ramirez zögerte. »Die NASA hat hier alles installiert«, sagte er dann und wählte seine Worte vorsichtig. »Die amerikanische Weltraumbehörde. Dieser Berg schien ihnen geeignet. Weitab, fern in der Wüste. Also genau das Richtige für ein streng geheimes Projekt. Aber als dann eine andere Regierung kam und kein Interesse und kein Geld mehr für dieses Projekt da war, hat man einfach alles verlassen.«

»Und Gregstone wusste davon?«

»Er hat damals mitgearbeitet.«

»Ach, er ist auch bei der NASA?«

»Er war«, sagte Ramirez. Eine Spur Ärger war jetzt aus seiner Stimme herauszuhören. »Du bist eindeutig zu neugierig!«

»Und jetzt ist er nicht mehr dabei? Hat er noch Kontakt zu den alten Kollegen?«

»Nicht mehr.« Ramirez zwang sich ruhig zu bleiben. »Die wollen von ihm schon lange nichts mehr wissen.«

»Kein Wunder.«

»Warum?«

»Irgendwie verdirbt Doktor Gregstone es sich mit allen.«

»Außer mit mir«, sagte Ramirez trotzig.

Bob schwieg. »Wann wird man dich vermissen?«, fragte er dann. »So langsam sollte uns doch jemand suchen.«

Ramirez versuchte sich anders hinzusetzen und stöhnte leise auf. »Au. – Ich hoffe, bald, Bob. Greg wird Butch losschicken, um mich zu suchen. Wenn Butch halbwegs intelligent ist, wird ihm auffallen, dass die Stahltür im Gang nur angelehnt ist. Er wird daraus schließen, dass ich in die Gänge verschwunden bin.«

Über Butchs Intelligenz hatte Bob seine eigene Meinung, aber er schwieg zu diesem Thema. Auf alle Fälle wollte er hier raus. Dafür nahm er es sogar hin, von Butch ausgebuddelt zu werden.

»Butch wird dir nichts tun«, fuhr Ramirez fort, als ahnte er Bobs Gedanken. »Schließlich hast du mich gerettet. Ich werde es Greg sagen. Mehr als einsperren wird er dich nicht.«

Wieder spürte Bob ein starkes Gähnbedürfnis. Waren das die ersten Anzeichen der schleichenden Vergiftung? »Was meinst du, wie viel Zeit inzwischen vergangen ist?«, fragte er mit brüchiger Stimme. »Wirst du auch so müde, Ramirez?«

»Ein bisschen schon«, gab Ramirez zu.

Bob machte die Taschenlampe an und stand auf. »Ich fange an zu buddeln«, sagte er entschlossen. »Immer noch besser, als hier untätig herumzusitzen.«

»Nein! Wenn du das Zeug anfasst, schüttet es uns total zu. Du hast es doch selbst gemerkt vorhin!«

Bob starrte auf den Erdeinbruch. »Diese verdammte Erde!«, schrie er. Er ballte die Fäuste. »Puuuh! Ich fürchte, du hast Recht«, sagte er dann ruhiger. Er setzte sich wieder neben Ramirez. »Trotzdem muss es eine Möglichkeit geben. Vielleicht können wir ein Luftloch graben.«

»Lieber erst im letzten Moment«, sagte Ramirez. »Wenn gar keine andere Möglichkeit mehr bleibt. Aber sag mal, wie bist du überhaupt in die Stollen gekommen?«

»Durch die Bodenluke. Viel schwieriger war es dann schon, sich hier unten zurechtzufinden. Eigentlich habe ich einen Ausgang nach draußen gesucht.« Er hustete. Durch den Sandrutsch war eine Menge Staub in seine Lunge gekommen. »Ein Fluchtversuch. Stattdessen bin ich dann in eurer Anlage gelandet.«

»Allerdings.« Ramirez lachte kurz auf. »Im ersten Moment habe ich gedacht, ich sehe ein Gespenst.«

»Ist außer euch eigentlich sonst noch jemand auf dem Gelände?«, wollte Bob wissen.

»Nein, nur Greg, Butch und ich.«

»Und dieser Butch, den hat der Doktor auch von der NASA mitgebracht?«

»Ja. Er war dort für die EDV zuständig. Hat die Computer installiert, Listen ausgedruckt und so.«

»Verstehe.« Bob dachte nach. Der Moment war günstig, Ramirez auszufragen. »Und nun setzt der Doktor seine Experimente auf eigene Rechnung fort?«, fragte er weiter.

»Nun lass ihn endlich in Ruhe!«, sagte Ramirez gereizt. »Er ist ... er ist genial. Ich bewundere ihn.«

»Nun rege dich nicht gleich so auf«, erwiderte Bob leise. »Aber wenn er so klug ist, hätte er doch bei der NASA bleiben können ...«

»Die NASA hat ihn nur in seiner Arbeit behindert. Die sind

alle viel zu stur für so einen genialen Mann. Keiner von denen konnte mit seinen Ideen etwas anfangen. Als er von der NASA weg war, haben sie ihn sogar heimlich überwacht.«

Bob schüttelte den Kopf. »Menschen, die unschuldige Jungen mit Waffen bedrohen und einsperren, sind nicht ganz sauber«, sagte er. »Dass Gregstone irgendetwas im Schilde führt, ist doch sonnenklar.« Wieder musste er husten. »Ramirez, warum rennst du diesem Typen eigentlich so ergeben hinterher?«

»Ach!« Ramirez stieß ihn wütend in die Seite. »Was verstehst du schon davon.«

»Er nutzt dich aus, Ramirez!«

»Nein! Nein!« Es klang trotzig. »Er hat mich gerettet. Weißt du, ich bin von Mexiko illegal über die Grenze gekommen. Eine Armeestreife hat mich aufgegabelt und in ihr Quartier gebracht. Dort hat mich Greg entdeckt und gemerkt, dass ich ein Computerfreak bin. Also hat man mich bei ihm gelassen, auch ohne Aufenthaltserlaubnis. Und als man mich rausschmeißen wollte, damals, als sie Greg gefeuert haben, hat er mich adoptiert. So konnte ich in Amerika bleiben.«

»Und so hatte er dich in der Hand. Und aus der frisst du noch heute. Wird Zeit, dass du dich von ihm befreist!«

»Naja, ein wenig hast du Recht. Manchmal kommandiert er ganz schön herum«, gab Ramirez zu.

»Siehst du – verdammt, was war das?«

Ramirez horchte ebenfalls auf. Ein kurzes Rutschen, dann war wieder Ruhe. Sie starrten in die Finsternis. Lautlos legte sich Staub auf ihre Gesichter. »Wieder was nachgekommen«, sagte Ramirez tonlos.

Bob dachte an das Flugzeug, mit dem man so einfach aus dem Berg fliegen und alles hinter sich lassen konnte. »Der Shuttle«, fragte er, »was für ein Geheimnis hat er eigentlich? Was soll damit in den Weltraum transportiert werden? Und wer fliegt das Ding? Der Doktor?«

»Ich fliege es!«, antwortete Ramirez. »Greg hat die Erde noch nie verlassen. Ich bereits einmal. Es war wunderbar.« Seine Stimme wurde träumerisch. »Der endlose Raum, die Weite – das genaue Gegenteil von hier.«

»Ich würde es auch gerne einmal erleben«, sagte Bob. »Bisher kenne ich so etwas nur aus Computerspielen.«

»Naja, zunächst muss man viele Tests durchführen«, erzählte Ramirez. »Und sich mit dem Fluggerät auskennen. Es ist schon etwas anderes, als am Computer zu sitzen.«

»Ramirez, wenn wir hier lebend herauskommen, zeigst du mir dann die Rakete?«

»Den Shuttle? Ja, das wird wohl hoffentlich gehen.«

Sie schwiegen, ängstlich darauf achtend, ob sie wieder ein Geräusch hörten.

»Und was ist die Mission des Fluges?«, fragte Bob dann. »Welchen Auftrag hat er?«

»Das kann ich dir nicht sagen. Es ist Gregs Geheimnis.«

»Ramirez, wir kommen hier vielleicht nie mehr lebend raus und du sagst mir trotzdem nicht, was Gregstone treibt. Dabei wäre das dann doch total egal. Dieser Koffer, zum Beispiel, was ist denn da drin? Soll der mit dem Shuttle in den Weltraum geschossen werden?«

»Der Koffer? Fängst du schon wieder an?« Er schnaufte. »Was warst du doch noch für ein netter Typ, als du mich vorhin gerettet hast . . .«

»Still! Hörst du das?«

Ramirez schwieg. Auf der anderen Seite der Unfallstelle musste jemand sein. Leise Kratzgeräusche waren zu hören.

»Sie suchen uns, Ramirez, die Hilfe kommt!« Erleichtert stöhnte Bob auf. »Hoffentlich sind es Justus und Peter. Dann hat alles ein gutes Ende. Lange hätten wir nicht mehr durchgehalten.«

# Fünf

»Wie lange habe ich geschlafen«, fragte Justus aufgeregt und sprang aus dem Bett.

Peter war bereits auf den Beinen und räumte die Bodenluke frei. »Schon eine Weile! Und ich muss auch kurz eingenickt sein!«

»Wir müssen runter«, sagte Justus entschieden. »Sofort. Alle beide. Wenn Bob immer noch nicht da ist, befindet er sich in großer Gefahr.«

Mit ein paar Papierstapeln unter dem Arm kam Peter zurück. »Es hängt bestimmt mit diesem verdammten Summen zusammen. Der ganze Berg vibriert, und die Gänge sind ja nicht die stabilsten.« Notdürftig stopfte er den Füllstoff unter ihre Decken.

Justus nahm sich ein paar der Computerausdrucke und begann aus ihnen kleine Fackeln zu basteln. »Wir haben ja keine zweite Taschenlampe«, erläuterte er auf Peters fragenden Blick hin.

Peter nickte und zupfte noch schnell die Decke zurecht. »So, das müsste reichen«, beschloss er. Dann trank er in einem Zug einen ihrer mit Wasser gefüllten Becher aus. Einen zweiten schob er Justus hin. »Zum Graben«, sagte Peter, »Schaufeln haben wir ja auch nicht.«

Justus tat es ihm nach und schnappte sich dann die Papierfackeln, die er neben sich gelegt hatte. Nacheinander ließen sie sich hinab in den Gang. Es roch muffig, doch vor allem war es sehr dunkel.

»Gib Feuer, Erster.«

»Sofort.« Justus zündete eine der Fackeln an und sie beeilten sich, in dem zuckenden Licht möglichst schnell vorwärts zu kommen. Denn lange würden die Papierfackeln nicht brennen.

Nach einigen Metern erreichten sie die erste Weggabelung. Peter blieb stehen und sah sich um. »Keine Ahnung, wohin wir gehen sollen«, murmelte er und fuhr sich durch die Haare. »Das ist ja ein richtiges Labyrinth hier.«

Aufgeregt deutete Justus auf einen Stein am Boden. »Sieh doch, ein rotes Fragezeichen. Bob hat den Weg markiert!«

Das hob die Stimmung der beiden Detektive. Möglichst schnell folgten sie Bobs Kreidezeichen, doch nach einer Weile mussten sie feststellen, dass die Hinweise keinen rechten Sinn ergaben.

»Bob hat anscheinend die Orientierung verloren«, sagte Justus enttäuscht, »die Zeichen weisen in verschiedene Richtungen.« Er hatte sich gebückt, um die Markierungen an einer Dreiergabelung zu untersuchen, und richtete sich nun langsam auf.

Peter stöhnte. »Wir hätten hier nie reingehen dürfen!«

Justus warf eine abgebrannte Fackel weg, es war die vorletzte. »Panik hilft uns jetzt nicht weiter.«

»Just, du hast zwar wie immer Recht damit, aber lieber wäre es mir, du hättest eine Idee, die uns hier raushilft. Und wenn uns nicht bald ein Licht aufgeht, dann tappen wir ewig im Dunkeln.«

Justus lachte. »Na, deinen Humor hast du ja noch nicht verloren.« Er zündete die letzte Fackel an. »Übrigens, hast du was gemerkt? Die Düsengeräusche. Sie sind wieder abgeklungen.«

»Tatsächlich. Alles ruhig.«

Sie riefen immer wieder nach Bob, aber alles blieb still. Also tasteten sie sich den Gang weiter vorwärts. Peter ging voran und Justus folgte auf Tuchfühlung. Inzwischen hatte selbst er jede Orientierung verloren.

Plötzlich hielt Peter inne. »Da klopft jemand«, flüsterte er.

Justus horchte. »Stimmt. Es kommt von dort«, sagte er. »Hinter dir.«

»Nein Just, von da. Vor mir.«

Justus fasste Peter am Arm. »Meine ich doch. Man sieht ja die eigene Hand vor den Augen nicht.«

Vorsichtig gingen sie weiter. Die Klopfgeräusche wurden tatsächlich lauter. Als sie um eine Biegung schlichen, bemerkten sie in einiger Entfernung einen hellen Lichtschein. Peter wollte gerade losrennen, als Justus ihn zurückhielt. »Vorsicht«, raunte er, »das ist nicht Bob. So stark leuchtet seine Taschenlampe nicht.«

Langsam schlichen sie vorwärts. Der Lichtschein wurde stärker und als sie an einem Stützbalken vorbeitraten, sahen sie, dass sich ein gutes Stück entfernt zwei Männer aufhielten. Im Schein einer hellen Lampe standen sie am verschütteten Ende des Ganges.

»Justus«, flüsterte Peter. »Es ist der verrückte Doktor.«

»Und sein ewiger Begleiter, der Mann mit dem geringen Wortschatz.«

»Anscheinend löst er gerade wieder ein Problem, Just.«

In der Tat drehte sich Butch in diesem Moment um und begann mit einem Meißel einen größeren Erdbrocken, der ihm den Weg versperrte, zu zerstören. Sein Gewehr hatte er neben sich an die Wand gestellt und auch eine Schaufel lehnte dort. Leise tasteten sich die beiden Detektive näher heran.

Butch hatte den Stein inzwischen zerkleinert und wandte sich bereits dem nächsten Brocken zu. Gregstone neben ihm trat von einem Fuß auf den anderen und sah zu. Er machte keinerlei Anstalten, Butch zu helfen. Dafür gab er gelegentlich einen Kommentar ab. Die Detektive spitzten die Ohren.

»Beeil dich, Butch«, zischte Gregstone. »Meine Mission steht kurz vor dem Ziel. Sie darf nicht scheitern!«

Butch brummelte irgendetwas, doch der Doktor hörte ihm kaum zu. »Was für ein Glück, dass ich den Koffer gefunden habe!«, rief er aus. »Sonst hätten wir nie was gemerkt. Und weit und breit keine Spur von Ramirez. Ganz mutterseelenallein lag mein Koffer herum. Warum hat mich Ramirez bloß so im Stich gelassen? Nun grab schon, Butch! Und wer hat die offen stehende Stahltür entdeckt? Ich natürlich!«

»Jawohl«, sagte Butch, »Sie natürlich, Doktor Gregstone. Sonst hätten wir die Unfallstelle nie gefunden.«

»Rede nicht, grabe! Warum hat sich Ramirez bloß in diese alten Gänge getraut? Butch? Hast du eine Ahnung? Und hast du den Koffer in den Vorbereitungsraum gebracht, wie ich es dir gesagt habe?«

»Natürlich, Doktor. Nun, ja, nicht ganz, ich bin nur bis zum Abstellraum gekommen. Dann haben Sie mich doch wieder gerufen, Doktor.«

»Na gut. Grabe, Butch, grabe. Ramirez muss hier raus, und zwar sofort! Sonst geht alles schief. Wer soll den Koffer denn hochbringen, wenn nicht Ramirez?«

»Kein Problem, Sir«, antwortete Butch, »ich bin gleich durch. Ihr Zeitplan ist nicht in Gefahr.«

»Das sagst du schon seit Stunden.«

»Minuten, Sir, wenn ich mir die Bemerkung erlauben darf.«

»Na, nun mach schon weiter.«

Verbissen klopfte Butch auf einem Stein herum. Dann endlich hatte er ihn zerlegt. Mit den Händen schob er die Bruchteile beiseite.

»Ob Bob da drinsteckt?«, flüsterte Peter.

Justus zuckte mit den Schultern. »Er hat von Ramirez geredet.«

Es dauerte nicht mehr lange. Bald hatten die Männer eine kleine Öffnung freigelegt. Der Doktor leuchtete hinein.

»Ramirez? Bist du da drin? Ramirez?«

»Er ist hier, Gregstone«, antwortete eine Stimme. Justus und Peter zuckten zusammen. »Das ist Bob!«, entfuhr es Peter.

Justus stieß ihn in die Seite und hielt warnend den Finger an die Lippen.

Im nächsten Moment erschien Bob. Bäuchlings krabbelte er aus dem Loch und robbte hustend auf die andere Seite. Er stand auf und klopfte sich den Staub von den Kleidern.

Gregstone empfing ihn wütend. »Was hast du hier zu suchen? Wie bist du überhaupt hergekommen! Und wo ist Ramirez?« Er holte Luft. »Wo ist er!«

»Ich sagte bereits . . .«, begann Bob.

»Schweig!« Gregstone hatte sich das Gewehr geschnappt. Auf sein Nicken hin begann Butch damit, Bob die Hände zu fesseln.

»Wenn wir ihm nur helfen könnten«, murmelte Justus und wagte sich ein Stück weiter vor. »Aber wenn wir jetzt auftauchen, dreht Gregstone völlig durch.«

»Da kommt Ramirez«, sagte Peter. Sie sahen, wie er langsam über den Erdwall kroch. Es dauerte länger als bei Bob, er musste sich verletzt haben. Gregstone half ihm auf und stützte ihn mit dem Arm. »Was ist passiert?«, fragte er. »Steckt dieser Kerl dahinter?«

Ramirez fasste sich an sein Bein. »Gebrochen ist, glaube ich, nichts.«

»Du kannst meinen Auftrag also ausführen.«

Ungehalten platzte Bob dazwischen: »Das ist ihnen wohl am Wichtigsten, Doktor, dass Ramirez nach ihrer Pfeife tanzt! Sie denken nur an ihren Erfolg. Wie es Ramirez dabei geht, ist ihnen völlig egal. Was habe ich dir gesagt, Ramirez?«

»Halt doch die Klappe!« Gregstones Stimme war eiskalt. »Los, Butch, schieb dieses Großmaul weg von hier!«

»Kein Problem, Sir.« Butch gab Bob einen kräftigen Schubs, sodass er vorwärts stolperte. Der Doktor schnappte sich die Leuchte, griff Ramirez unter den Arm und folgte den beiden.

# Vier

Justus und Peter warteten einen Moment, dann schlichen sie hinter der kleinen Gruppe, die den gefesselten Bob abführte, her.

Nachdem sie eine Weile durch den dunklen Gang gelaufen waren, hörten sie auf einmal ein quietschendes Geräusch.

»Eine Stahltür«, zischte Justus, »sie sind am Ausgang angekommen.«

»Könnte etwas Öl gebrauchen, das alte Ding«, murmelte Peter.

Justus und Peter beeilten sich, vorwärts zu kommen. Nach einer Weile hatten auch sie das Tor erreicht. Durch den Türspalt drang Licht: Die Tür war nicht ganz geschlossen.

»Offen ist sie – Glück gehabt«, stellte Justus fest. »Aber sollen wir das Risiko eingehen, dass man uns hört?«

»Ich zumindest passe so durch. Aber alleine möchte ich nicht in die Höhle des Löwen.«

»Natürlich«, sagte der Erste Detektiv. »Wahrscheinlich ist die Truppe sowieso schon weitergezogen. Ich spüre es, wir sind ganz nahe dran am Geheimnis um den summenden Berg.«

»Bob vermutlich sogar noch näher«, gab Peter zu bedenken.

»Also, schlüpf schon durch, und sag mir, ob der Weg frei ist.«

Ohne die Tür zu berühren, schob sich Peter durch den Spalt. Er betrat einen mit allerhand Kisten gefüllten Raum. Zwischen den links und rechts aufgestapelten Pappkartons konnte er eine weitere Tür sehen, die ebenfalls nur angelehnt war. Gregstone und seine Leute waren mit Bob längst über alle Berge. Er lauschte. Es war kein Geräusch mehr zu hören.

»Komm, Justus«, rief Peter. »Die Luft ist rein.«

Vorsichtig drückte Justus die schwere Stahltür auf. Ein Ächzen ließ sich dabei nicht vermeiden, doch bald hatte er den

Spalt so weit geöffnet, dass auch er hindurchpasste. Er blieb neben Peter stehen und sah sich um.

»Irgendetwas stimmt hier nicht«, sagte er. »Ich kann es förmlich riechen. Was sind das alles für Kisten?« Justus sah sich ein paar der Aufkleber, die den Inhalt der Kartons bezeichneten, näher an. »Komisch, das sind Firmen, von denen ich noch nie etwas gehört habe. Aber dort, das ist eine Computerfirma. Die stellen Chips her, und zwar so richtig teure Edelteile.« Zur Probe öffnete er einen der Kartons und griff hinein. »Tatsächlich, Computerchips.«

»Wie hängt das alles zusammen, Justus?«

»Ich weiß es noch nicht, Peter. Wir müssen unbedingt Bob finden und ihn fragen. Er hat bestimmt schon mehr herausbekommen. Vielleicht fügen sich dann die Teile des Rätsels zusammen.«

Plötzlich schwieg Justus. Er deutete nach vorne, wo zwischen den Kisten ein kleiner brauner Koffer stand. »Da ist er«, flüsterte er. »Der geheimnisvolle Koffer, von dem Gregstone gesprochen hat.«

»Mensch, Just! Sie haben ihn stehen lassen.«

»So viel Glück darf es doch gar nicht geben!«

Justus bückte sich und hob den Koffer hoch. Er war erstaunlich leicht. Vorsichtig schüttelte er ihn hin und her. Es war nichts. »Er hat ein Zahlenschloss, Peter, da hilft auch deine Dietrichsammlung nichts.«

»Kombinieren wir doch mal. Vielleicht kommen wir ja drauf. Vier Ziffern ... Was ist los, Justus?«

Der Erste Detektiv hatte warnend den Finger an die Lippen gelegt. »Ich glaube, ich habe etwas gehört«, flüsterte er. »Hast du, als du reinkamst, auch hinter den Kisten nachgeschaut, Peter? Ich werde einfach das Gefühl nicht los, dass wir hier nicht alleine sind ...«

»Hinter den Kisten, wieso? Ich konnte mich hier doch nicht stundenlang umsehen ...«

Noch während er sprach, sah Peter, wie sich eine der Kartonsäulen leicht bewegte. Kurz darauf stürzte der ganze Stapel auf ihn zu. Er sprang zur Seite, stieß mit Justus zusammen, der ebenfalls aus dem Weg springen wollte, und beide fielen zu Boden. Die Kisten polterten über sie hinweg.

»Jetzt sitzen sie in der Falle, die Ratten!« Es war unverkennbar die unangenehme Stimme Gregstones. Er lachte und es klang fast ein wenig irre. »Los, kommt raus, damit Butch euch in Empfang nehmen kann! Euer Ausflug ist beendet!«

Mühsam kroch Peter unter seiner Last hervor. Auch Justus schob ein paar herausgefallene Chipplatten beiseite und rappelte sich hoch. Gregstone stand da und richtete das Gewehr auf die Jungen, während Butch bereits mit ein paar Seilen wartete, um sie zu fesseln. Die Vorfreude stand ihm ins Gesicht geschrieben.

Schweren Herzens musste Justus sich eingestehen, dass sie in eine Falle getappt waren. »Okay, machen Sie sich keine Umstände«, sagte er und hielt ihm resigniert die Hände entgegen. »Wo ist Bob?«

Butch schwieg, stattdessen antwortete Gregstone: »Ramirez passt auf ihn auf. Ihr werdet euren Freund gleich wieder sehen. Und nun den Koffer, bitte.«

Der Koffer war in dem Durcheinander unter ein paar Kisten gerutscht. Butch reichte ihn Gregstone, der ihn mit einem falschen Lächeln auf den Lippen entgegennahm. »Danke verbindlichst.« Und an die Jungen gewandt fügte er hinzu: »Tja, mit Speck fängt man Mäuse.«

Butch schubste Justus und Peter hinaus in den Gang. Nach einer Weile erreichten sie einen anderen Raum. Bob saß auf dem Boden, an Füßen und Händen gefesselt, bewacht von Ramirez, der sich an einem Tisch abstützte. Schnell suchte Justus mit seinen Augen den Raum ab. Er entdeckte ein auffälliges Kleidungsstück, das über der Stuhllehne hing: Es war ein Raumanzug. Als er seinen Blick weiterschweifen ließ, erspähte er durch ein massives Glasfenster den auf seinen Einsatz wartenden Raumgleiter. ›Masterplane‹ war in kleinen Buchstaben über seinem Heckleitwerk aufgemalt.

»Uff«, entfuhr es Justus. Er erkannte das Flugzeug sofort.

»Aber das ist ja …«, murmelte Peter.

Gregstone grinste und stellte seinen Koffer auf dem Tisch ab.

»Ja, hier seht ihr mein Schmuckstück, meine Entwicklung, mein Kind, nun könnt ihr es endlich bestaunen, ihr wart doch die ganze Zeit scharf darauf! Aber jetzt nützt es euch nichts mehr. Los, da rüber!«, befahl er scharf. »Es gilt keine Zeit zu verlieren. Noch sind wir voll im Plan!«

Butch schob Justus und Peter näher an Bob heran und bedeutete ihnen, sich zu ihm auf den Boden zu setzen. Die beiden Jungen ließen sich nieder und Butch fesselte ihnen die Füße.

»Sollen sie etwa hier im Vorbereitungsraum bleiben?«, fragte Ramirez, der die Szene bisher schweigend verfolgt hatte.

»Ja.« Gregstone sah auf seine Armbanduhr. »Sie wieder in Raum V zu bringen dauert mir zu lange. Außerdem will ich sie besser unter Kontrolle haben. Ramirez, du bewachst sie und ziehst dich dabei um. Du fliegst wie geplant. Alles klar, oder?«, fragte er scharf.

Ramirez nickte. »Mein Bein schmerzt zwar noch immer, aber es müsste klappen.«

Gregstone schien zufrieden. »Butch bereitet ›Masterplane‹ zum Start vor. Ich gehe einen Raum weiter und setze mich schon mal an den Flugcomputer für den Check-up.«

Ramirez nickte ergeben. »Soll ich den Koffer mitnehmen?«

»Nicht nötig. Butch wird ihn vorab an Bord bringen.«

Auch Butch hatte seine Arbeitsanweisungen verstanden. Er trat neben Justus, griff sich den Koffer und verschwand. Gregstone schnappte sich das Gewehr und verzog sich in das nächste Zimmer. An der Tür drehte er sich noch einmal um.

»Ramirez, wenn die Ratten hier Ärger machen, rufst du mich. Dann mache ich kurzen Prozess!«

Als Gregstone verschwunden war, begann Ramirez schweigend, seine Sachen zusammenzusuchen. Ab und zu blickte er zu den drei Detektiven hinüber, die sich leise flüsternd unterhielten. Ramirez ließ sie gewähren.

»Wieso haben sie euch erwischt?«, fragte Bob. »Ich hatte gehofft, dass ihr mich befreien könnt.«

Justus nickte entschuldigend. »Gregstone muss uns gehört haben und hat uns dann eine Falle gestellt. Er ist ein gefährlicher Gegner.«

»Sämtliche Dummheit hat ja auch Butch gepachtet«, entfuhr es Peter so laut, dass Ramirez warnend aufblickte.

Peter lächelte freundlich zurück. »Bob, erzähl uns lieber, was du rausgefunden hast«, murmelte er dann.

Sie steckten die Köpfe enger zusammen. »Es geht um diesen Raumgleiter«, begann Bob. »Gregstone plant damit etwas Geheimnisvolles. Ich habe ihn vorhin am Computer gesehen, er kommt mir ziemlich verrückt vor.« Bob berichtete in Kurzform, was er erlebt hatte.

»Wahrscheinlich ein Geheimtransporter, dieses Flugzeug«, überlegte Justus. »Das erklärt auch seine dunkle Farbe. Es muss ein Spezialmaterial sein, dass auf dem Radarschirm nicht zu erkennen ist. Gregstone hat sich in diese Anlage gehockt, nachdem die NASA sie aufgegeben hat. Dann hat er alles für seine Zwecke umgebaut.«

Bob nickte. »Genau. Viel brauchte er wahrscheinlich gar nicht mehr zu machen.«

»Was ist denn los, Bob?«, fragte Justus, dem auffiel, dass sein Freund plötzlich unruhig hin und her rutschte.

Bob sah ihn warnend an. »Leise«, flüsterte er, »ich glaube, ich bekomme meine Fesseln auf. Butch hat sie etwas eilig zusammengezogen . . .«

»Auf meine hat er leider deutlich zu viel Zeit verwendet«. Justus verzog das Gesicht. »Sie schneiden ins Handgelenk ein wie blöd. Aber deine Nachricht bietet ja endlich mal eine erfreuliche Perspektive!« Er warf einen Blick auf Ramirez. Der hatte zu seinem Raumanzug inzwischen die passenden Schuhe gestellt und zudem allerhand weitere Dinge in eine feste Box gepackt. Nun zog er einen großen verspiegelten Helm hervor und legte ihn auf den Tisch.

Plötzlich erklang Gregstones Stimme aus dem Lautsprecher. »Noch fünfundfünfzig Minuten bis zum Start. Ich schalte um auf Computertimer.« Es klickte. Die Detektive vernahmen nun eine Computerstimme. »Vierundfünfzig Minuten fünfundvierzig Sekunden – Piep.«

Ramirez sah hinüber zu den Detektiven und kontrollierte seine Uhr. Obwohl der Start kurz bevorstand, war er die Ruhe selbst. Dann schaute er durch das Glasfenster und ein Lächeln huschte über sein Gesicht. Justus folgte seinem Blick und er sah, wie Butch über die schmale Brücke lief, die zum Flugzeug führte. In der Hand hielt er den kleinen braunen Koffer.

»Schaut!« Justus stieß Peter mit dem Ellenbogen in die Seite. »Butch verschwindet im Raumgleiter.« Von seiner Position aus konnte er alles gut verfolgen. »Nun kommt er wieder heraus, den Koffer hat er drin gelassen.« Über die Zubringerbrücke lief Butch zurück in die unterirdische Anlage.

»Hast du eine Ahnung, was in dem Koffer ist, Bob?«, fragte Peter. »Auf den geben sie ja mächtig Acht.«

Bob schüttelte den Kopf. »Ramirez hat nichts verraten.«

»Fünfzig Minuten – Piep«, sagte der Computer. Dann hörten sie Gregstone, der sich über Lautsprecher bei Ramirez erkundigte, ob alles klar sei. Der Mexikaner drückte eine Taste der Gegensprechanlage und gab sein Okay.

»Sind die Detektive brav? Check noch mal, ob die Fesseln fest genug sitzen!«, forderte der Doktor.

Ramirez verließ die Gegensprechanlage und ging hinüber zu den Detektiven, um den von Gregstone verlangten Kontrollblick auf ihre Fesseln zu werfen. Das verletzte Bein zog er sichtbar nach.

Bob fuhr zusammen und überlegte rasch, wie er seine gelockerten Fesseln am besten tarnen konnte. Justus räusperte sich bereits, um Ramirez abzulenken. Doch Ramirez gab sich mit einem oberflächlichen Blick auf Peters und Justus' Hand- und Fußgelenke zufrieden. Bob kontrollierte er nicht, ja er vermied es sogar, ihn überhaupt anzusehen.

»Sechsundvierzig Minuten – Piep«, tönte der Computer.

Ramirez ging zurück zur Sprechanlage. »Alles klar, so schnell kommen die hier nicht los.« Dann schnappte er sich seinen Raumanzug.

»Ich habe Ramirez das Leben gerettet«, flüsterte Bob, während der Mexikaner mühsam seine Jeans auszog und versuchte, das verletzte Bein in den Raumanzug zu zwängen. »Unten, in der eingestürzten Höhle. Wenn wir nicht seinem verehrten Gregstone auf der Spur wären, fände er uns bestimmt ganz nett.«

Justus nickte, das konnte das Verhalten von Ramirez erklären. Nach dem Ereignis im Goldgräberstollen traute er sich vermutlich nicht, sich Bob gegenüber wie ein Verbrecher aufzuführen. Vielleicht hatte er sogar ein schlechtes Gewissen. Justus betrachtete ihn nachdenklich, als er den Raumanzug an seinen Beinen zurechtzupfte. »Vielleicht solltest du noch mal mit Ramirez reden«, zischte er in Bobs Richtung.

»Die Seiten wechseln wird er nicht«, murmelte Bob. »Ich hab es ja versucht.« Aber mit einem kurzen Nicken signalisierte er, dass er nun die Hände von den Fesseln befreit hatte.

»Zweiundvierzig Minuten – Piep«

Doch plötzlich zog Ramirez seinen Raumanzug wieder aus. »Es hat keinen Sinn«, sagte er und blickte hinüber zu den drei Detektiven. »Rührt euch bloß nicht von der Stelle! Ich muss mein Bein kühlen. Er legte den Anzug über den Stuhl und verschwand durch eine Seitentür.

# Drei

»Wo ist Ramirez denn hin?«, fragte Peter erstaunt.

Bob schüttelte das Seil von seinem Handgelenk ab. »Aufs Klo«, sagte er, »hinter der Tür ist die Toilette. Vermutlich will er vor seinem Flug noch mal die Blase leeren.« Bob zog die Füße näher heran und machte sich an den Fußfesseln zu schaffen. »Das ist auch besser so. Sonst passiert das alles beim Start. Und das ist sehr unangenehm.«

»Du kennst dich wohl aus?«, grinste Justus. »Ich dachte, beim Computerspiel stören solche realistischen Details nur?«

»Ich habe mich generell mit dem Fliegen befasst, Erster. Berichte von Astronauten und auf der Internetseite der NASA ...«

»Ach ja?« Ungeduldig zerrte Justus an seinen Fesseln. In diesem Augenblick hatte Bob endlich auch seine Füße frei. Er sprang zu Justus, der ihm bereits erwartungsvoll den Rücken zugedreht hatte. Bob machte sich an dem Seil zu schaffen. »Verdammt«, murmelte er und versuchte einen Finger in das fest angezogene Gewirr zu bekommen, »Butch hat ja mächtig zugelangt! Ich kriege diesen Knoten nicht auf!«

Justus verdrehte die Augen und zog scharf die Luft ein. »Au!«, rief er. »Sei doch vorsichtig! Das schneidet ja tierisch ein!«

»Vierzig Minuten – Piep«, erklang die tonlose Computerstimme.

Peter rutschte währenddessen immer unruhiger hin und her. »Versuche es doch mal mit meinen Händen«, schlug er vor. Er konnte es kaum mit ansehen, wie Bob bei Justus nicht weiterkam. »Vielleicht geht's da besser. Ich helfe dir dann.«

Hilflos drehte sich Bob zu ihm um. Die Zeit lief und seine gerade wiedergewonnene Selbstsicherheit war mit einem Schlag verschwunden. »Was soll ich denn tun«, sagte er mit zittriger Stimme. »Ich bin auch nur ein Mensch.« Aber er gab nach, setzte sich hinter Peter und untersuchte dessen Fessel. »Die ist auch nicht lockerer, Peter«, murmelte er, »was hat dieser Butch bloß für eine Kraft!« Nervös fummelte er an dem Knoten herum, der Schweiß trat ihm auf die Stirn.

»Bob, schnell!«, drängelte Justus. Er blickte zur Toilettentür. »Ewig wird Ramirez nicht auf dem Klo herumhocken. Selbst wenn er den letzten Tropfen aus sich herauspresst!«

Bob war nahe daran, die Fassung zu verlieren. Er stand auf und stellte sich zwischen Justus und Peter. »Tut mir Leid, ich bekomme Butchs Knoten einfach nicht auf!«, sagte er. »Was nun? Seht ihr irgendwo ein Messer?«

Da hatte Justus eine Idee. »Pass auf, Bob! Lass das mit den Fesseln für einen Moment. Schieb den Stuhl da unter die Klinke von der Toilettentür. Dann kann Ramirez nicht raus und wir gewinnen Zeit. Und du kannst in Ruhe nach einer Schere oder einem Messer suchen!«

Erleichtert lief Bob durch das Zimmer, schnappte sich den Stuhl und schob ihn vorsichtig unter die Türklinke der Toilette. Es passte. Er atmete aus. Nun hatte er etwas Luft.

In diesem Augenblick knisterte der Lautsprecher.

»Ramirez!« Das war unverkennbar Gregstones Stimme. »Los geht's! Begib dich unverzüglich ins Raumschiff! Wenn Butch mit seinen Vorbereitungen für den Start fertig ist, wird er sich sofort um unsere drei Ratten kümmern!«

Erschrocken blickten sich die drei Jungen an.

»Wenn Ramirez nicht auftaucht, wird Gregstone in wenigen Sekunden in der Tür stehen!«, stieß Bob hervor.

»Achtunddreißig Minuten – Piep!«

Justus schwieg. Wenn er eine freie Hand gehabt hätte, wäre sie unverzüglich an seine Unterlippe gewandert. Der Erste Detektiv dachte angestrengt nach.

»Mensch, Bob, es gibt eine Chance!«, sagte Justus plötzlich. »Du gehst, verstehst du?«

Bob sah ihn fassungslos an.

»Zieh den Raumanzug an, Bob. Durch den verspiegelten Helm wird Gregstone dich nicht erkennen.«

»Und für Ramirez halten«, ergänzte Peter. »Ihr seid etwa gleich groß. Es ist ganz einfach: Du gehst in ›Masterplane‹!«

Aufgeregt rutschte Justus hin und her. »Los, mach schon«, sagte er. »Vielleicht bekommen wir dadurch sogar heraus, worum es in der ganzen Aktion geht. Noch gut eine halbe Stunde bis zum Start: Das ist genau das Zeitloch, das wir nutzen müssen!«

Mechanisch schritt Bob zum Tisch und begann sich den Raumanzug anzuziehen. Währenddessen sprachen seine Freunde weiter auf ihn ein.

»Du holst den braunen Koffer raus«, sagte Justus und nickte Peter zu. »Uns bekommst du jetzt sowieso nicht mehr frei.«

»Dann kennen wir das Geheimnis! Mensch, Bob, über dreißig Minuten bis zum Start, das ist Zeit genug!«, stimmte Peter ein.

»Und Ramirez sitzt fest«, sagte Justus und schaute zur Toilettentür hinüber, wo sich immer noch nichts rührte. Der Junge schien von alledem nichts mitbekommen zu haben.

»Sechsunddreißig Minuten – Piep!«

Bob hatte sich den Anzug inzwischen fast vollständig übergestreift. »Und dann?«, fand er die Sprache wieder. »Und dann, wenn ich den Koffer habe, wie geht es weiter? Bis dahin hat Butch euch doch längst zu Hamburgern verarbeitet.«

»Wenn der überhaupt so schnell da ist«, antwortete Justus. »Du brauchst doch höchstens drei, vier Minuten! Und vielleicht ändern sich die Machtverhältnisse ja, wenn wir den Koffer haben.« Der Erste Detektiv war begeistert von seiner Idee.

»Und ich soll mit dem Koffer einfach so rausmaschieren?«

»Du sagst halt, du müsstest noch mal ... auf die Toilette«, schlug Peter vor.

»Oder mit dem Koffer würde etwas nicht stimmen«, ergänzte Justus. »Irgendwas wird dir schon einfallen. Schau am besten erst mal nach, was drin ist. Er hat ein Nummernschloss. Die

Kombination lautet: Zwei – null – fünf – vier.«
»Wie kommst du darauf?«, fragte Bob überrascht. Inzwischen
stand er fertig angezogen da. Den Helm hielt er in der Hand.
»Vierunddreißig Minuten – Piep«, kam die Zeitansage.
»Erklär ich dir später«, sagte Justus.
Plötzlich polterte Ramirez von innen gegen die Tür. Er hatte
gemerkt, dass er eingesperrt worden war. »He«, rief er. »Was
soll das? Lasst mich raus!«
Beklommen trat Bob von einem Fuß auf den anderen. »Sollen
wir nicht alles noch einmal gut überlegen, Justus?«
»Die Zeit läuft. Gregstone wird misstrauisch, wenn Ramirez
nicht gleich kommt!«
Peter nickte. »Wenn alles schief geht, überrumpelst du Greg-
stone und schnappst dir seine Waffe.«
Wieder knisterte der Lautsprecher. »Ramirez, wo bleibst du?«,
bellte Gregstone in den Apparat. »Soll ich dir Beine machen?«
Bob ging hinüber zur Gegensprechanlage. Das Gehen fiel ihm
schwer, nicht nur, weil der Raumanzug unbequem und unge-
wohnt war. »Ich komme«, sprach Bob tonlos in das Gerät hi-
nein. Dann setzte er den Helm auf.
»Vergiss die Box nicht, die Ramirez gepackt hat«, riet Justus.
»Sonst fliegt unser Schwindel gleich auf.«
Bob nickte und schnappte sich das Paket. Mit schweren
Schritten schwankte er auf die Tür zu.
»Halt, Bob!«, rief Peter. »Vergiss nicht . . . !«
Doch der dritte Detektiv war bereits verschwunden.

Bob kam in einen kurzen fensterlosen Gang, der zu einer Tür
führte. Über ihr stand in großen Buchstaben ›Kontrolle‹ und
›Start‹. Hier ging es also in den Raum, in dem alle Drähte
zusammenliefen, und hier ging es auch zu ›Masterplane‹.
Im seinem Raumanzug fühlte sich Bob von der Mitwelt merk-
würdig abgeschlossen, wie in einem mit Watte ausgefütterten
Skidress. Der ungewohnte Helm tat sein Übriges, da er die

Sicht einschränkte. Bob beugte sich vor, um besser auf den Boden blicken zu können: Kleine Piktogramme mit einem aufstrebenden Pfeil wiesen den Weg zum Raumschiff.

Also dann, dachte Bob und fixierte den Knopf, der die Tür zu Gregstones Raum öffnen würde. Sein Atem wurde schwer. Jetzt kam es drauf an.

Bob betätigte den Mechanismus und die Tür glitt zur Seite. Vorsichtig betrat er den Kontrollraum. Mit einem Surren schloss sich der Durchgang hinter ihm. Sofort fiel ihm ein Glasfenster auf, hinter dem das von Lichtstrahlern effektvoll ausgeleuchtete ›Masterplane‹ auf den Start ins All wartete. Doch wo war Gregstone?

Bob ging weiter. Kaum ein Geräusch drang durch seinen Helm, der alles abdämpfte. Ein Zischen fiel ihm auf, das von irgendeiner Maschine herrühren musste, durchsetzt von ein paar elektronischen Signalen. Bob drehte seinen Kopf in die Richtung, aus der die Töne zu kommen schienen, und schritt vorsichtig weiter. Hoffentlich entdeckt mich der Doktor nicht zu früh, dachte er. Und hoffentlich muss ich möglichst wenig reden. Wenigstens war das Sichtglas des Helms von außen abgespiegelt.

Da sah er Gregstone. Er hatte ihm den Rücken zugekehrt und hockte vor mehreren Monitoren, auf denen Bob die Halle, das Flugzeug und das Cockpit des Raumgleiters entdeckte. Gregstone rief Programme im Computer ab und schien Bobs Eintreffen nicht bemerkt zu haben. Wahrscheinlich überprüfte er ein letztes Mal die Startbefehle.

»Dreißig Minuten – Piep«, drang es zu Bob durch. Vorsichtig ging er weiter, wie in Zeitlupe schob er sich an Gregstone heran. Als er etwa auf gleicher Höhe war, entschied er sich, den Doktor anzusprechen. Vermutlich war das weniger auffällig so. Gerade noch rechtzeitig fiel ihm ein, dass Ramirez Gregstone mit dem Vornamen anredete. »Greg, ich bin's! Am besten gehe ich gleich weiter ins Raumschiff!« Durch die

Dämpfung des Helms würde Gregstone seine Stimme hoffentlich nicht erkennen.

Augenblicklich drehte sich Gregstone um. Er sah ihn an und sein Gesichtsausdruck entspannte sich. »Da bist du ja endlich, Ramirez! Los, beeile dich. Butch hat noch ein paar kleine Probleme gefunden, aber er dürfte gleich mit allem fertig sein.« Er lachte. »Du weißt ja, was er von Problemen hält . . .«

»Ja, Greg, ich weiß, es gibt für ihn keine.« Bob zwang sich zu einem kurzen Lachen und schritt weiter. »Puh«, er atmete aus. Es schien alles zu klappen.

»Und denk dran, den Koffer festzuschnallen«, rief Gregstone. Er sah Bob nach. »Deinem Bein geht es ja offensichtlich schon besser!«

Bob durchfuhr es siedend heiß. Er hatte nicht darauf geachtet, dass Ramirez verletzt war. »Ich habe es gekühlt«, log Bob. »Das hat geholfen.«

»Guten Flug!« Gregstone schien mit der Auskunft zufrieden zu sein. Jedenfalls wandte er sich wieder geschäftig seinen Monitoren zu.

Bob ging weiter. Noch etwa zehn Meter bis zur Tür. Was würde er tun, wenn die Halle verschlossen war? Oder gesichert? Wenn er irgendeinen geheimen Code wissen musste, den er natürlich nicht kannte? So gut Justus' Idee auch gewesen war, sie steckte doch voller Tücken. Bob verdrängte seine Zweifel und schritt zügig weiter. Als er die schwere Tür zur Abflughalle erreicht hatte, hörte er plötzlich Gregstones scharfe Stimme.

»Halt! Warte! Bleib stehen!«

Der dritte Detektiv zuckte zusammen und drehte sich langsam um. Jetzt war alles aus. Er sah, wie Gregstone mit eiligen Schritten auf ihn zumarschierte. »Moment mal!« Sein Gesicht war starr. Der Doktor musste etwas gemerkt haben. Bob riss sich zusammen. »Ja, Greg?«

Jetzt stand der Doktor direkt vor ihm und wedelte mit irgendetwas vor seinem Helm herum. »Hier, deine Codekarte! Ramirez, du bist ein bisschen unkonzentriert. Ohne die kommst du doch nicht durch die Tür!«

»Ach ja, danke, Greg!« Bob atmete aus, nahm die Karte entgegen und drehte sich schnell um. »Es ist wegen dieser Detektive«, nuschelte er im Weitergehen, »da habe ich die Karte ganz vergessen.«

»Was sagst du, die Detektive? Was treiben diese Ratten überhaupt? Noch alle gut verknotet?«

»Ja, klar. Die werden sich so schnell nicht befreien können.«

»Gut so. Die haben wir im Griff. Wenn alles vorüber ist, jagen wir sie durch die maroden Gänge ...« Gregstone lachte kurz auf, dann drehte er sich um und ging zackig zurück an seinen Computer.

Bob war das Blut in die Beine gesackt. Schwankend nahm er die letzten Meter zur Tür, sah die Spalte, durch die er die Codekarte ziehen musste, tat es, die Tür fuhr zur Seite, er schritt hindurch, die Tür zischte zurück und schon war er in der Starthalle auf der Brücke zum Raumschiff. Allein.

# Zwei

»Bob ist durch!«, jubelte Justus. Triumphierend blickte er Peter an. Durch das Fenster hatten sie gemeinsam beobachten können, wie Bob über die Brücke auf ›Masterplane‹ zugegangen und in ihm verschwunden war. Alles schien nach Plan zu laufen.

Justus drehte sich zur Toilettentür um. Die Schläge, die Ramirez von innen der Tür verabreichte, wurden fester. »Seid ihr noch da?«, brüllte er. »Bob, lass mich sofort hier raus! Was habt ihr bloß gemacht? Ihr gefährdet alles!«

Der Erste Detektiv prüfte seine Fesseln, an denen er unaufhörlich herumzog, doch sie gaben keinen Millimeter nach. Dann richtete er seine Aufmerksamkeit zurück auf das Raumschiff, aus dem Bob gleich wieder auftauchen musste, mit dem braunen Koffer in der Hand.

Plötzlich wurde sein Blick starr und er hielt den Atem an. Wie von Geisterhand schloss sich die Einstiegsluke, ohne dass Bob erschienen war. Die Bewegung der Tür dauerte nur wenige Sekunden und Bob war in ›Masterplane‹ gefangen.

»Auch das noch!« Justus sackte in sich zusammen. »Doktor Gregstone denkt ja, dass Ramirez im Flugzeug ist«, sagte er zu Peter, der ebenfalls alles mitbekommen hatte. »Wenn er seinen Irrtum nicht merkt, wird er ›Masterplane‹ starten.«

»Aber das darf auf keinen Fall passieren!«, rief Peter. »Bob ist kein Astronaut! Wie soll er das Ding da bedienen? Es wäre Bobs sicherer Tod!«

»Er muss Greg durchfunken, dass wir ihn getäuscht haben und dass er nicht Ramirez ist. Er muss es zugeben!«

Peter nickte. »Hoffentlich tut er das!« Er drehte sich um zur Toilettentür.

Nervös folgte Justus seinem Blick. »Jetzt fehlt nur noch, dass Ramirez rauskommt und uns weiteren Ärger bereitet!«

In dem Moment rutschte der Stuhl unter der Türklinke weg und wenige Sekunden später stand Ramirez im Raum. Er brauchte nicht lange, um die Lage zu überblicken. »Wo ist Bob?«, rief er. »Mein Gott, was habt ihr bloß angerichtet?«

»Bob ist in ›Masterplane‹«, antwortete Justus. »Er hat deinen Raumanzug angezogen und ist einfach reinmarschiert.«

Ramirez brauchte einen Moment, um diese Nachricht zu verkraften. Dann stürzte er zum Sprechgerät und drückte die Taste, um mit Gregstone Kontakt aufzunehmen.

»Greg, Greg! Hallo, Greg! Hier ist Ramirez!«

»Ja?« Gregstones Stimme klang überhaupt nicht überrascht.

»Greg, die Jungs haben mich reingelegt!« Er sprach hastig. »Ich war im Klo eingesperrt! Und nun ist Bob im Raumschiff!«

Gregstone hüstelte. »Ich weiß, Ramirez. Ich glaube, unser Freund dort in ›Masterplane‹ ist bereits ganz schön am Schwitzen.« Die Stimme des Doktors klang auffallend ruhig.

»Aber Greg! Äh, wie meinst du das? Woher weißt du . . .«

Die Anweisung kam kurz und scharf: »Ramirez! Schneide den andern beiden die Fußfesseln durch und führe sie zu mir. Ich werde sie nicht mehr aus den Augen lassen!«

»Und Bob?«

»Befolge meine Befehle, Ramirez.«

Wie betäubt schritt der Mexikaner zum Schrank und holte ein Messer heraus. Dann ging er zu Justus und Peter und befreite sie von ihren Beinfesseln. Mühsam standen die zwei Detektive auf. Die Computerstimme zeigte nur noch 24 Minuten bis zum Start.

Ramirez betätigte den Türknopf zum Kontrollraum und schob Justus und Peter hinein. Dann folgte er ihnen und die Tür schloss sich hinter den dreien.

Gregstone rollte sich auf seinem Drehstuhl heran. »Willkommen, meine Freunde!«, grinste er. »Ich habe euch ja gewarnt: Hier wird mein Spiel gespielt! Und nicht das eure!« Er zeigte auf ein schwarzes Ledersofa, das hinter ihm seitlich an der

Wand stand. »Nehmt Platz, liebe Gäste, von hier aus könnt ihr den Flug eures Freundes gut verfolgen.«

Justus und Peter blieb die Luft weg. Sollte das bedeuten, dass Gregstone ›Masterplane‹ mit Bob starten wollte? Hatte er ihre Aktion mitbekommen?

»Aber das ist doch Wahnsinn, Doktor!«, rief Justus empört aus. »Sie bluffen doch, oder wollen Sie Bob wirklich in den Weltraum schießen? Das kann doch nicht ihre Absicht sein!« Verzweifelt sah er Peter an, dem es vor Schreck die Sprache verschlagen hatte.

Auch Ramirez war überrascht. »Aber Greg, du, äh, du spielst doch, oder? Wir müssen den Start sofort abbrechen!« Er zögerte. »Oder, ich, also ich kann ja ebenfalls noch rein in den Shuttle. Zeit genug ist doch!«

»Setz dich neben die zwei Ratten da!«, fuhr Gregstone ihn an. »Du hast genug Mist gebaut, Ramirez!« Der Mexikaner tat, wie ihm befohlen war, und schwieg vor Schreck.

»Tja, und euer Detektiv da draußen hat von alledem noch keine Ahnung.« Gregstone kicherte in sich hinein, dann drückte er auf eine schwarze Taste und beugte sich zum Mikrofon. »Hallo Ramirez, kannst du mich hören?«

Bobs Stimme kam unsicher aus dem Lautsprecher. »Ja, hier, äh, Ramirez. Greg ... Warum hast du die Tür verschlossen?« Gregstone wandte sich grinsend in Richtung Ledercouch, dann drückte er erneut die schwarze Sprechtaste. »Na, Ramirez, mit offener Tür wirst du doch nicht fliegen wollen?«

»Bob, er weiß alles!«, brüllte Justus in voller Lautstärke dazwischen.

Sofort ließ Gregstone die Sprechtaste los und sprang auf. Dabei fiel etwas zu Boden und rollte weg. Es war der Joystick, mit dem er immer spielte. »Mach das nicht noch mal«, brüllte Gregstone und kam drohend auf Justus zu. »Ich, ich, ich habe hier das Kommando! Nur ich! Beim nächsten Mal stopfe ich dir das Maul!«

Betreten blickte Justus zu Boden. Das Plastikteil war auf Peter zugerollt und nicht weit entfernt von ihm liegen geblieben. Justus hob den Kopf und sagte ruhig: »In Ordnung, Doktor.« Gregstone warf ihm noch einen drohenden Blick zu, dann setzte er sich wieder an sein Pult. Ein Bild auf dem Monitor flimmerte auf, und Justus, Peter und Ramirez konnten Bob erkennen, der sich auf den Pilotenstuhl gesetzt hatte. Gregstone drückte die Sprechtaste. »Da sitzt du gut«, sagte er befriedigt. »Eine wunderbare Fügung.«

In Bob arbeitete es. Warum hatte der Doktor das Gespräch abgebrochen? Und hatte er im Hintergrund nicht Justus rufen gehört? Bob war sich nicht sicher. Auf dem Monitor hatte er verfolgt, wie Gregstone plötzlich aufgesprungen war. Doch leider hatte die Kamera nicht den ganzen Raum im Blick. Seit die Tür des Raumschiffes zugefahren war, wusste Bob nicht mehr, wie er sich verhalten sollte. Alles schien schief zu laufen. Warum war die Einstiegsluke so schnell geschlossen worden? Wenn alles so weiterlief, würde er unweigerlich in den Weltraum katapultiert werden.
Er überlegte hin und her, ob er zugeben sollte, dass er nicht Ramirez war. Und die Zeit lief ab. Die Digitaluhr im Cockpit zeigte noch 20 Minuten bis zum Start.
Vor ihm waren Knöpfe über Knöpfe, Tastaturen und Schieberegler, die ihm alle nichts sagten. Er erinnerte sich, wie er Ramirez gefragt hatte, ob er ihm den Shuttle zeigen könnte. Nun saß er hier auf dem Pilotensessel, freilich unter ganz anderen Umständen.
»Greg, …«, begann Bob.
»Ja?«
»Greg, ich bin, äh, können wir den Start nicht verschieben? Mir ist … nämlich schlecht.«
»Kann ich mir vorstellen«, antwortete Gregstone. »Macht aber nichts. Das ist normal.«

»Greg?«

»Ja?«

»Ich, also, ich muss noch mal auf die Toilette!«

»Zu spät, Ramirez. Heb's dir auf, wenn du zurückkommst. Dauert ja nicht lange, hoffentlich.«

»Greg? Äh, Mr Gregstone?«

»Ja?«

»Ich bin nicht Ramirez, müssen Sie wissen, ich bin Bob. Ich habe mich anstelle von Ramirez hereingeschlichen.« Nun war es endlich heraus. Gregstone würde sich zwar bitter an ihm rächen, aber er würde ihn wenigstens hier aus dieser Rakete herausholen. Bob war erleichtert.

»Ich weiß«, sagte Gregstone.

»Sie wissen was?«

»Ich weiß, dass du Bob bist. Deine zwei Freunde habe ich inzwischen auch hier. Willst du sie mal sehen?«

Ein kleiner Monitor flammte auf und Bob entdeckte Justus und Peter, wie sie mit gefesselten Händen auf dem Ledersofa saßen. Er schwieg betroffen.

»Und soll ich dir mal zeigen, wie es im Vorbereitungsraum aussieht? Es war richtig spannend, euch zuzuschauen.« Er kicherte.

Das Bild wechselte und Bob sah den Raum, in dem Ramirez seine Raumausrüstung aufbewahrte. Der Stuhl, mit dem sie Ramirez gefangen hatten, lag umgefallen vor der Toilettentür. Bob wurde alles klar: Gregstone hatte die ganze Aktion überwacht. Wie Bob sich befreit hatte, wie sie Ramirez überlistet hatten und wie Bob sich den Raumanzug angezogen hatte. Er hatte von Anfang an Bescheid gewusst.

# Eins

»Mr Gregstone, ich möchte hier raus!«

»Nicht doch, Bob. Wir spielen mein Spiel. Ich schlage dir ein Abkommen vor. Einen Pakt mit Gregstone. Falls du nicht darauf eingehst, wird es ein tödlicher Pakt für dich.«

»Ich verstehe nicht ganz ...«

»Es sind noch 18 Minuten bis zum Start. In dieser Zeit kann ich dir noch wertvolle Tipps für deinen Raumflug geben. Denn du wirst fliegen, nicht Ramirez. Wenn du auf meinen Pakt nicht eingehst, wirst du den Start nicht überleben.«

»Aber ich kann das Gerät doch unmöglich bedienen?«

»Brauchst du nicht. Sei unbesorgt, ich steuere alles von hier, per Computer. Ich sitze quasi auf dem Pilotenstuhl. Das Einzige, was du tun musst, ist, meinen Anweisungen zu folgen. Vor allem reparierst du oben meinen kleinen Satelliten, weil ich das von hier aus nicht kann. Da sind ein paar Handgriffe vor Ort notwendig. Aber das wirst du schon hinbekommen. Bist doch ein schlauer Detektiv!« Er kicherte. »Und dann kommst du wieder heil zurück zu Basis eins.«

»Zu Basis eins?«

»Zu Mutter Erde.« Gregstone lächelte und ließ die Sprechtaste los, so dass Bob ihn nicht mehr hören konnte. »Vielleicht«, ergänzte er und das Lächeln weitete sich über das ganze Gesicht aus.

»Vielleicht was?« Ramirez hatte dem Gespräch mit offenem Mund zugehört, nun fand er seine Worte wieder.

Doch Gregstone ignorierte Ramirez und blickte in eine andere Richtung. Denn Butch war inzwischen eingetreten und wischte sich die von seiner Arbeit ölig gewordenen Hände an einem Tuch ab.

»Es gab doch keine Probleme?«, fragte Butch mit einem kritischen Blick auf die Detektive.

»Ganz im Gegenteil«, antwortete Gregstone. »Alles absolut bestens.«

Butch grinste und legte das Tuch beiseite. Doch so einfach ließ sich Ramirez nicht abspeisen. »Was meintest du mit ›vielleicht‹, Greg? Wieso kommt Bob nur vielleicht heil runter?« Um seiner Frage mehr Nachdruck zu verleihen, stand Ramirez jetzt auf. Dies schien Gregstone zu irritieren. Er drehte sich zu ihm um. »Du weißt doch, dass mein Satellit repariert werden muss«, begann er. »Was ich dir noch nicht genau erklären ... äh, konnte, ist, dass der Laser ausgetauscht werden muss. Beziehungsweise der Computerchip, der ihn steuert. Der Laser spielt verrückt. Über kurz oder lang zerstört er den Satelliten, und damit meinen genialen Traum.«

»Die Laserkanone ist kaputt?«

»Ja. Sie ballert wild in der Gegend herum.«

Ramirez wurde bleich. »Dann könnte sie ja auch ›Masterplane‹ treffen und abschießen.«

»Natürlich.«

»Und du hättest mich da trotzdem hochgeschickt?«

»Hättest, hättest – was soll das?« Gregstone rümpfte die Nase. »Jetzt ist doch alles anders!«, rief er verärgert aus. »Dank meiner Klugheit, meiner Intelligenz: Jetzt fliegt eben Bob, dieser superschlaue Detektiv. Du bist hier in Sicherheit, dir kann nichts passieren!«

Doch seine Worte hatten nicht die erhoffte Wirkung. »Du hättest mein Leben riskiert für deine Idee!«, schrie Ramirez ihn an. »Und nun setzt du Bobs Leben aufs Spiel! Selbst wenn er den Start von ›Masterplane‹ heil übersteht, die Laserkanone da oben gibt ihm doch den Rest!«

Gregstone war inzwischen ebenfalls aufgestanden. Butch, der spürte, dass die Situation gleich außer Kontrolle geraten würde, spannte die Muskeln und ging in Angriffsstellung.

»Auf welcher Seite stehst du eigentlich, Ramirez«, zischte der Doktor. »Du bist doch nicht halb so schlau wie ich!«

»Bob hat mir das Leben gerettet«, rief Ramirez. »›Master-plane‹ darf nicht starten!« Er sprang los und mit vorgestreck-ten Fäusten stürzte er auf Gregstone zu. Doch sein verletztes Bein behinderte ihn. Butch war schneller. Zwei Schritte und er war bei ihm. Seine muskulösen Arme schlangen sich um den Jungen, der körperlich weit unterlegen war, und drückten ihm fast die Luft ab. Dann drehte Butch ihm den Arm auf den Rücken, so dass sich Ramirez kaum noch bewegen konnte. Fragend blickte Butch Gregstone an. Die Situation hatte seine Sichtweise von Freund und Feind gehörig durcheinander gebracht und er wusste nicht mehr, was er weiter tun sollte.

»Fessle ihn«, sagte Gregstone knapp.

Butchs Stirn legte sich in Falten. »Ramirez?«

»Ja! Fessle ihn. Los! Oder macht dir das vielleicht irgend-welche Probleme?«

Butch schüttelte den Kopf und das bekannte Grinsen erschien wieder auf seinem Gesicht. »Nein, Mr Gregstone. Kein Prob-lem, Sir.«

Mit geübten Griffen verschnürte Butch Ramirez die Hände auf dem Rücken und stieß ihn zurück auf das Sofa, wo er mit einem Plumpsen neben Justus zum Sitzen kam.

Der Erste Detektiv hatte den Vorgang gespannt verfolgt. Er zwinkerte Ramirez anerkennend zu, denn es war nicht nur eine mutige Aktion von Ramirez gewesen, sondern auch ein großer innerer Schritt. Gregstone hatte viel Macht über den Jungen besessen. Nun hatte der Junge seine Gefährlichkeit erkannt und sich endgültig aus der Bevormundung befreit. Er war jetzt auf ihrer Seite, zumindest vorerst. Aber gleichzeitig war Justus enttäuscht, dass sich ihre Lage dadurch letztlich noch verschlechtert hatte. Mit kühlerem Kopf wäre mehr zu gewinnen gewesen.

Auch Peter war niedergeschlagen. Und an Bobs Reaktion, die er auf dem Monitor verfolgen konnte, hatte er gesehen, dass Bob die Situation mitbekommen hatte. Die Uhr, die den

Countdown zum Start anzeigte, lief auf 12 Minuten zu. Viel Zeit blieb nicht mehr. Und der neue Verbündete saß nun ebenfalls gefesselt neben ihnen.

Gregstone war mittlerweile an sein Regiepult zurückgekehrt und deutete auf einen großen roten Knopf, der jede Sekunde aufblinkte. »Da wärst du wohl nur zu gerne rangekommen, Ramirez? Der Knopf, der den Start abbricht.« Er grinste hinüber zu Justus und Peter. »Schaut ihn euch gut an, ihr Superdetektive. Der magische Knopf. Aber, so Leid es mir tut, keiner von euch wird ihn drücken.«

Amüsiert fuhr er mit der Hand dicht über den Knopf, drückte ihn aber nicht, sondern betätigte stattdessen die Sprechtaste. Während Gregstone Bob einige Anweisungen erteilte, fiel Justus' Blick auf den abgebrochenen Joystick, der immer noch vor Peters Füßen lag. Die Kante, an der er abgebrochen war, schien ihm scharf genug zu sein, um eine Fessel durchzuscheuern. Er warf ein prüfendes Auge auf Butch, der gespannt dem Gespräch zwischen Gregstone und Bob lauschte, dann zwinkerte er Peter zu und nickte in die entsprechende Richtung.

Peter verstand sofort. »Joystick«, flüsterte er. »Okay.«

Justus überlegte kurz. Irgendwie musste er den Doktor ablenken. »Sie haben noch etwas vergessen, Doktor Gregstone.«

»Was hast du zu melden!« Gregstone fuhr herum.

Justus versuchte sein unschuldigstes Gesicht aufzusetzen. »Vielleicht sollten Sie Bob noch erklären, wie er den Koffer aufbekommt. Ich nehme an, er braucht den Inhalt zur Reparatur des Satelliten«, mutmaßte Justus.

»So ist es, Detektiv, aber ich kann ihm die Zahlenfolge auch später noch geben«, sagte Gregstone.

»Sie kennen Bob nicht. Bei Zahlenschlössern ist er verdammt ungeschickt.« Das stimmte natürlich nicht, aber Justus hoffte, dass Bob durch diese Unwahrheit mitbekommen würde, dass sich bei ihnen etwas tat.

Gregstone war für einen kurzen Moment aus dem Rhythmus gebracht. »Also, Bob, hörst du mir zu? Dein Freund sagt, du hast Probleme mit Zahlenschlössern. Ich gebe dir jetzt die Zahlenkombination. Ich hoffe sehr für dich, dass du den Koffer ruckzuck aufhast!« Er zögerte kurz. »Zwei – null – fünf – vier«, sagte er dann langsam.

»Okay«, antwortete Bob. Auf dem Monitor sah man, wie er sich den Koffer schnappte.

Wie gebannt starrte Gregstone auf den Bildschirm.

»Wie war noch mal die Nummer?«, fragte Bob.

»Jetzt«, flüsterte Justus.

Peter streckte sich und bekam den Joystick zwischen die Füße. Er klemmte ihn ein. Dann nahm er die Beine in die Hocke und drehte sich zu Justus, der rechtzeitig zur Seite gerückt war. Das Plastikstück flog in den Spalt zwischen Lehne und Justus' Rücken. Sofort hatte Peter seine Beine wieder unten, doch Gregstone hatte die Bewegung wahrgenommen.

»Was geht da vor sich?«

»Meine Beine tun weh«, klagte Peter. »Ich muss sie strecken.« Gregstone lachte bitter. »Was soll da dein Freund im Raumschiff sagen? Er muss in einer viel ungemütlicheren Position sitzen! Also jammere nicht rum.« Beruhigt drehte er sich wieder um und kümmerte sich weiter um Bob. »Los: Zwei – null – fünf – vier. So schwer kann das doch nicht sein! Mach schon! Es ist nicht mehr viel Zeit, und du musst dich gleich wieder anschnallen.«

»Zwei – null – fünf – vier«, murmelte Bob. »Verdammt, das Schloss klemmt.«

»Das kann doch nicht wahr sein«, brüllte Gregstone. »Bist du so ein Trottel oder tust du nur so?«

»Schon klar.« Bob drehte an den Nummernrädchen und der Koffer sprang auf. »Ich hab's, Doktor!« Das Ersatzteil war säuberlich im Koffer befestigt. Es war eine kleine Metallplatte, auf der der Computerchip klebte.

»Na also«, rief Gregstone erleichtert. »Aber das ist keine Basis für unsere Zusammenarbeit mein Freund! Wenn du so weitermachst, sind die letzten Minuten deines Lebens gezählt.« Er blickte auf die Uhr. »Ich kann es dir sogar sehr genau sagen: Dann atmest du noch ganze 9 Minuten.«

»Ist gut, Sir.«

»Na also. Und nun heißt es konzentriert arbeiten!« Gregstone bereitete Bob auf den Start vor. Zunächst sollte er einige Kabel und Versorgungsschläuche einstecken. Interessiert verfolgte Butch das Gespräch, so dass sich Justus unbemerkt bei Peter für die gelungene Einlage bedanken konnte. Das war noch mal gut gegangen. Dann fing er an, mit der scharfen Plastikkante an seiner Fessel herumzurubbeln.

»Schaffst du es?«, murmelte Peter.

Justus nickte. »Ich hoffe schon. Es sind noch acht Minuten, aber dieser Joystick ist kein Messer . . .«

»Wenn du frei bist, brauchst du nur den großen roten Knopf zu drücken«, flüsterte Ramirez, »dann ist der Start sofort abgebrochen und alles muss neu programmiert werden. Das dauert mindestens ein, zwei Tage.«

»Haltet die Klappe!«, brüllte Gregstone.

# Null

Bob hatte die Aktion zwar nicht auf dem Monitor verfolgen können, aber er schöpfte wieder neue Hoffnung. Justus plante etwas. Warum sonst hätte der Erste Detektiv dieses Ablenkungsmanöver wohl starten sollen? Wie an einen rettenden Strohhalm klammerte sich Bob an diesen Gedanken, während er mit Gregstone über den Start redete. »So, jetzt habe ich auch das letzte Kabel angeschlossen, Mr Gregstone«, meldete er schließlich.

»Braver Junge. Nun setz dich noch passgenau auf den Startsitz.« Der Doktor beobachtete Bob an seinem Monitor. »Ja, mit dem Rücken nach unten, die Knie angewinkelt. Hast du den Koffer wieder fest in seine Halterung gesteckt?«

»Ja, Sir. Wie fliegt dieses Ding eigentlich?«

»›Masterplane‹? Das ist eine echte Gregstone-Erfindung: Der Magnetantrieb schleudert dich raus und dann schieben dich die neuen Raketentriebwerke schnell hoch. Du wirst etwas zusammengedrückt werden, aber zum Glück bist du ja nicht so dick wie dein kluger Freund hier.« Gregstone drehte sich um und Justus musste die Tätigkeit hinter seinem Rücken unterbrechen. »Bei seinem Gewicht würde selbst ›Masterplane‹ abstürzen.« Er lachte hämisch.

Sofort versuchte Bob, Gregstones Aufmerksamkeit wieder auf sich zu lenken. »Die Sitzhaltung ist sehr unbequem«, erklärte er. »Dauernd hat man das Gefühl auf die Toilette zu müssen.«

Gregstone lachte. »Das ist nicht nur ein Gefühl. Manche Astronauten ziehen sich sogar Windeln an. Eine Spezialanfertigung. Ich hoffe, du warst vorhin noch auf dem Klo ... So, prüf bitte, ob die Gurte richtig sitzen, die werden dich sonst nicht halten. Immerhin musst du mehr als 3 g aushalten, und ich brauche dich noch da oben.«

»Danke für die Fürsorge, Mr Gregstone. Aber was sind 3 g?«
»Das ist die Kraft, mit der man in den Sitz gepresst wird«,
hörte Bob eine ihm bekannte Stimme. Bei solchen Fragen
konnte Justus sich einfach nicht zurückhalten. Daten, Zahlen,
Physik, da kannte er sich aus. »3 g – das ist dreimal das
Gewicht, das du auf der Erde hast, Bob. Du wirst kaum atmen
können. Erinnere dich: Wie damals bei unserem Flug zum
Bergsee. Nur noch viel schlimmer soll es enden. Aber wir
arbeiten dran.«
Für diesen Kommentar aus dem Hintergrund fuhr sich Justus
einen schweren Anpfiff von Gregstone ein.
»Soll ich ihm einen Knebel verpassen?«, fragte Butch eifrig.
Gregstone winkte ab. »Beim nächsten Mal hau ihm einfach eine rein. Du weißt, sodass er keine Probleme mehr
macht . . .«
»Aber gerne«, grinste Butch. Zum Warmwerden rieb er sich
schon mal die Hände.
»Wie lange bin ich unterwegs?«, fuhr Bob dazwischen. Er
musste Gregstone wieder auf Kurs bringen und vor allem
musste er überlegen, was Justus mit seiner Anspielung auf den
Flug zum Bergsee gemeint hatte. Es war eins der vergange-
nen Abenteuer der drei ??? gewesen, bei dem sie in ein Flugzeug gestiegen waren, das später abgestürzt war. Nur mit viel
Glück waren sie an einer Katastrophe vorbeigeschrammt.
»Ich meine, wie lange dauert es bis in die Schwerelosigkeit?«,
fragte er Gregstone.
»Keine zehn Minuten. Dann bist du in der Umlaufbahn. Und
dann dauert es noch eine Zeit lang, bis du zu meinem Satelliten kommst. Und, äh . . .«
»Ja, Mr Gregstone?«
»Den Start wirst du schon überstehen. Die Atmung wird
natürlich schwer, aber nur ein paar Minuten lang. Denk an den
genialen Gregstone und an sein großes Ziel.«
»Wenn ich das nur wüsste. Wird mir schwindelig werden?«

»Möglicherweise.« Gregstone machte eine wegwerfende Handbewegung. »Aber stell das schnell ab. Ich habe schließlich keine Zeit zu verlieren.«

»Mr Gregstone, wenn Sie weiter in diesem Ton mit mir reden, können Sie mit meiner Mitarbeit nicht rechnen.«

»Pass auf, Freundchen! Dein Leben steht kurz vor dem Error!«

»Ich bin nicht ihr Freundchen!« Noch während er das sagte, kam ihm eine Ahnung. Darauf hatte Justus also angespielt: Der Flug damals zum Bergsee endete im Unglück. Und jetzt, so hatte Justus gesagt, sollte es ein schlimmeres Ende als diesen Flugzeugabsturz geben. Das konnte nur bedeuten, dass dieser Flug in ›Masterplane‹ offenbar von vorneherein ein Flug in den Tod war.

Bob wurde es ungemütlich. Auf einmal fühlte er sich eingezwängt, in dieses enge Cockpit, in diese drückenden Gurte. Je näher der Start rückte, desto unsicherer wurde er, ob Justus ihn wirklich retten konnte. ›Wir arbeiten daran‹, hatte Just gesagt. Vielleicht waren Justus und Peter dabei, ihre Fesseln zu lösen. Doch es waren nur noch 6 Minuten bis zum Start. Bald konnte man schon die Sekunden zählen. »Können Sie den Start eigentlich noch abbrechen, Doktor Gregstone?«

»Ich kann alles, Bob. Ich brauche nur diesen roten Knopf zu drücken.« Gregstone lachte. »Aber keine Sorge, ich drücke ihn nicht.«

»Das ist auch überhaupt nicht meine Sorge. Ganz im Gegenteil.« Nun ahnte Bob, was Justus vorhatte. Offenbar war er wirklich dabei, die Fesseln zu lösen. Mit einem Sprung würde er versuchen, den Knopf zu erreichen und damit den Start abzubrechen. Es war ein Wettlauf gegen die Zeit.

»Doktor Gregstone«, begann Bob.

»Ja?«

»Ich habe eine Bitte, Sir. Ich fliege gleich los und ich möchte gerne in meinen letzten Minuten hier auf der Erde meine

Freunde sehen. Können Sie die Kameraperspektive so einstellen, dass ich sie ebenfalls im Bild habe?«

Gregstone überlegte einen Moment. »Spricht nichts dagegen«, sagte er dann. Er betätigte ein paar Knöpfe und das Sofa mit Justus, Peter und Ramirez schwenkte ins Bild.

»Danke, Doktor, perfekt.«

»Keine Ursache. Du siehst, ich bin ein freundlicher Mensch.«

»Habe ich hier im Raumschiff etwas zu essen?«, begann Bob wieder ein unverfängliches Thema, obwohl er sich kaum auf das Sprechen konzentrieren konnte. Zu sehr musste er auf den Fernsehschirm achten. Gerade gab ihm Justus mit dem Kopf ein Zeichen und seine Schultern bewegten sich. Scheinbar bearbeitete er wirklich seine Fesseln.

»Hörst du mir überhaupt zu, Bob? Also noch mal: Zu essen gibt es genug. Alles in Beuteln. Reicht für über eine Woche. Du siehst, Gregstone denkt sogar an Notfälle.«

»Ja«, sagte Bob, »ich habe verstanden. Was ist eigentlich mit den vielen Knöpfen und Reglern? Sie sagten doch, dass der Computer alles steuert.« Eine andere Hoffnung keimte in ihm auf. Vielleicht gab es auch eine Möglichkeit, von hier aus den Start zu verhindern.

»Keine Sorge. Die sind ausgeschaltet, funktionieren aber im Notfall. Nur den direkten Anflug zum Satelliten musst du per Hand übernehmen, aber das kennst du ja bereits von deinen Computerspielen.«

»Woher wissen Sie von meinen Computerspielen?«

»Ich weiß mehr, als du denkst, Bob.«

Hastig sann Bob nach einer anderen Möglichkeit. »Mr Gregstone, das Ganze ist doch so eine Art Geheimflug, nicht wahr? Sehen uns die amerikanischen Militärs nicht auf ihren Radarschirmen?«

Gregstone lachte. »Doch nicht bei einer Gregstone-Erfindung! Die GG-Company hat unter meiner Mitarbeit die Tarnkappenlegierung für Militärflugzeuge entwickelt. Eine Spezialbeschichtung, die die Flugzeuge für Radargeräte unsichtbar macht. ›Masterplane‹ trägt sogar noch eine verbesserte Version. Wie übrigens auch mein kleiner Satellit. Und durch den Magnetstart wird auch das Feuer der Raketen erst ab einer gewissen Höhe sichtbar.«

Bob schwieg. Satellit, Raumschiff, Computer, Laserkanone, das waren doch auch Stichworte des Computerspiels, bei dem er Gregstone beobachtet hatte. Und dann die Nummernkombination des Zahlenschlosses. Plötzlich wusste er, woher sie ihm bekannt vorkam. Zwei – null – fünf – vier. 2054, wenn man sich die vier Ziffern als Zahl vorsagte, dann war das genau das Jahr, an dem in diesem Spiel die Herrschaft über das Universum begann! Das konnte kein Zufall sein.

Bob blickte auf den Monitor. Justus war noch beschäftigt. Die Uhr raste auf vier Minuten zu. Es kam ihm vor, als liefe die Zeit nicht mehr gleichmäßig, sondern immer schneller. Sein Rücken begann zu kribbeln.

»Mr Gregstone«, sagte er langsam, »Sie kennen doch das Computerspiel ›Master of the Universe‹.«

»Ja, und du kennst es auch.«

»Woher wissen Sie das?«

»Ich habe die Internetadresse in deiner Brieftasche gefunden. Ich habe alles gecheckt. Du bist Mitspieler. Du hast es ausprobiert.« Seine Stimme wurde scharf. »Und deswegen seid ihr hier! Ihr wollt meine Pläne durchkreuzen!«

Bob schüttelte den Kopf. Das war es also. »Mr Gregstone, Ihre Intelligenz hat Ihnen einen Streich gespielt«, entgegnete er. »Oder Ihr Verfolgungswahn. Wir sind nicht wegen ›Master of the Universe‹ hier. Dass ich Mitspieler bin, ist reiner Zufall.«

»Das soll ich dir glauben? Euch hat doch bestimmt der Geheimdienst beauftragt. Weil sie selbst nicht weiterkamen, die Stümper, haben sie es jetzt mit ein paar unverdächtig wirkenden Jungs probiert.« Gregstone lachte hämisch. »Dem Geheimdienst sind meine Ideen schon lange suspekt. Sie haben inzwischen regelrecht Angst vor mir. Sie sind zu durchschnittlich, diese Militärs, einfach zu durchschnittlich. Aber macht nichts. Deine Freunde sind gefesselt und in drei Minuten startest du ins Weltall.«

»Gregstone«, begann Bob »ich glaube, sie selbst sind Mr Universe. Sie haben das ganze Spiel entwickelt.«

»Es ist meins, ja. Ich gratuliere dir zu dieser Erkenntnis.« Gregstone stand auf und verbeugte sich. »›Master of the Universe‹. Eine typische Gregstone-Erfindung. Eben Spitze!« Er blickte auf seinem Tisch umher. »Wo ist eigentlich mein Spielzeug?«, murmelte er.

»Ihr was?«, fragte Bob.

»Mein Joystick. Ich wusste doch, dass irgendetwas fehlt.« Er sank in die Knie und sah unter dem Drehstuhl nach.

»Nur noch drei Minuten«, sagte Bob schnell. Er sah, dass Justus weiterhin seine Hände hinter dem Rücken hatte und ahnte inzwischen, was sein Werkzeug war. »Mr Gregstone, dann bleibt mir eigentlich nur ein Schluss: ›Master of the Universe‹ ist kein Spiel, sondern Ernst. Ihr Satellit ist eine Art Killersatellit, der an das Internetspiel angeschlossen ist. Sie lassen das Spiel Realität werden.«

»Was macht das schon für einen Unterschied!« Gregstone hatte sich wieder aufgerichtet. »Aber genau so ist es. Bist ein schlaues Kerlchen, Bob. Schade, dass du nicht schon früher mit mir zusammengearbeitet hast. Du sagst es: Wer die höchste Ebene des Spiels erreicht, bedient die echte Laserkanone des Satelliten.«

»Und schießt auf echte Flugzeuge. Und auf andere Satelliten.«

Gregstone schwieg.

»Einen amerikanischen und einen chinesischen haben sie schon getroffen. Verdammt, Mr Gregstone, das ist Realität!«

»Ja. Das ist Realität. Oder doch Spiel?« Gregstone rieb sich die Hände. Jetzt war er in seinem Element. »Was tut das schon?

Es wird fantastisch! Eine neue Wirklichkeit. Ich stehe kurz davor. Ich habe den Satelliten nach oben gebracht. Alles miteinander vernetzt. Die Daten fließen bereits. Die ersten zwei Spieler sind schon eine Ebene unter ihm angekommen. Und ausgerechnet jetzt macht der Laser nicht mehr mit!« Die letzten Worte hatte er geschrien, seine Stimme wurde dünn.

»Sie sind verrückt, Mr Gregstone!« Bob blickte auf die Digitaluhr. Nur noch eine Minute und zweiunddreißig Sekunden. »Ich hoffe, es geht alles gut«, sagte er. Dann schloss er die Augen und wartete. Eine Stimme sagte jetzt jede Sekunde laut an. Eins neunundzwanzig, eins achtundzwanzig, eins siebenundzwanzig. Langsam zog Bob die Luft ein. Er konnte nichts mehr tun. Er überließ sich seinem Schicksal.

Eine Minute zwanzig. Diese blöde Stimme. Justus spürte, wie die Fessel langsam nachgab. Nur noch ein paar kleine Fasern, die aber sehr widerspenstig waren. Er riss an ihnen, doch ohne Erfolg. Warum bloß hielt die Fessel so lange stand? Es musste einfach klappen. Als Gregstone plötzlich den Joystick vermisst hatte, war er gehörig ins Schwitzen gekommen, doch Bob hatte hervorragend reagiert. Wie schon zuvor. So ein gutes Zusammenspiel sollte belohnt werden. Doch in diesem verflixten Fall war mit allem zu rechnen. Eine Minute fünf Sekunden. Wieder ging ein Ruck durch die Fessel. Nur noch nicht der entscheidende. Justus atmete durch. Er spürte, wie Ramirez und Peter neben ihm immer aufgeregter hin und her rutschten. Jetzt hieß es Ruhe bewahren.

Justus kontrollierte die Situation. Bob schwieg. Was er eben über Gregstone herausgefunden hatte, war sehr gut gewesen. Beste Detektivarbeit. Noch fünfundfünfzig Sekunden. Gregstone saß auf seinem Platz und wartete. Auch er war unruhig, klopfte mit den Fingern auf die Tischplatte. Vermutlich vermisste er seinen Joystick, doch für die Suche hatte er jetzt natürlich keine Zeit. Butch war an das Fenster getreten und blickte auf die Startrampe. Gut so. Justus konzentrierte sich ganz auf die Fessel.

Dreißig Sekunden. Endlich riss das Seil. Augenblicklich sprang Justus auf. Er stürzte nach vorne, wollte an Gregstone vorbei. Vier Meter, drei. Doch er hatte Gregstone unterschätzt. Schlangengleich glitt der Doktor vom Stuhl, hob diesen an und stieß ihn Justus wuchtig entgegen. Vierundzwanzig Sekunden. Justus bekam den Stuhl gegen den Arm, doch er konnte ihn greifen und sich Gregstone vorerst vom Leib halten. Mit allem Mut versuchte er sich an Gregstone und dem Stuhl vorbeizukämpfen. Der rote Knopf war kaum mehr zwei Meter entfernt. Er blinkte. Doch Gregstone erwies sich als sehr zäh. Achtzehn Sekunden. Siebzehn, Sechzehn, Fünfzehn. Vollkommen überrascht war Butch dagestanden und hatte Justus' Angriff zunächst nur staunend beobachtet. Vierzehn, Dreizehn, Zwölf. Nun setzte auch er seine Muskeln in Bewegung. Elf Sekunden. Jetzt sprang Peter auf und es gelang ihm, seinen Kopf in Butchs Bauchgegend zu stoßen. Butch torkelte rückwärts auf den Computertisch zu, fing sich aber wieder. Ramirez war unterdessen Justus zu Hilfe gekommen. Aber ohne freie Hände konnte er in dem Knäuel nicht viel ausrichten. Zehn, neun, acht, sieben, sechs, fünf, die Zeit lief ab wie nichts.

Da gelang es Justus, sich loszureißen. Mit einem für sein Gewicht erstaunlichen Sprung hechtete er auf den Tisch zu und streckte sich nach dem blinkenden Knopf. Doch der Sprung war zu kurz gewesen. Er spürte, wie Gregstone an seinem Arm zerrte. Er nahm noch einmal alle Kraft zusammen. »Drei, zwei, eins«, verkündete die Computerstimme, »Takeoff.« Mit einem lauten Knall schlug Justus' Hand auf den roten Knopf.

# Eins

Doch Justus war zu spät. Bruchteile von Sekunden nur, doch zu spät. Ein Brausen hob an, ein lautes Summen, als liefe ein Riesendynamo los. Alle unterbrachen ihren Kampf. Gregstone richtete sich triumphierend auf. Justus und Peter registrierten seinen Blick nicht. Entsetzt starrten sie durch das Fenster, das ›Masterplane‹ wie bei einem Bildschirm einzurahmen schien. Das Fluggerät begann leicht zu zittern, schien sich ein Stück zu erheben, es zerrte an seinen Halterungen, dann gaben diese das Raumschiff frei und es zischte los wie ein Pfeil, raste mit sich weiter steigernder Geschwindigkeit auf die Himmelsöffnung in der Kuppel zu und wurde kurz darauf hinausgeschleudert in den Sternenhimmel. Sekunden später würde das Raketentriebwerk zünden, um Bob in Höchstgeschwindigkeit in seine gefährliche Mission zu bringen.
Gregstone brach in ein irres Lachen aus, das sogar Butch irritierte. »Ich bin . . .«, kicherte er, »ich bin zu klug für euch!« Er stützte sich auf der Tischplatte ab. »Wie ihr dasteht«, prustete er hervor, »ihr seht aus, als hättet . . . ihr gerade . . . die größte Niederlage eures . . . Lebens eingesteckt!« Vor Lachen verschluckte er fast seine Worte und sein Kopf lief rot an. »Und das Schönste . . . es ist wahr«, stieß er hervor, »ihr seid in meiner Hand.«
»Sie sind verrückt, Gregstone«, sagte Justus ruhig, obwohl es in ihm brodelte. Er nickte Butch zu. »Butch, der Doktor ist verrückt. Er ist krank. Größenwahn gepaart mit Machttrieb. Wenn Sie weiter zu ihm halten, wird Sie das teuer zu stehen kommen. Butch, Sie sind doch ein vernünftiger Mensch.«
Butch sah ihn verunsichert an und Gregstone reagierte mit einem erneuten Lachanfall, aus dem die Worte ›Butch‹ und ›vernünftig‹ hervorbrachen.
Ramirez hinkte ein paar Schritte auf Butch zu. Er streckte ihm

die Arme entgegen. »Es stimmt, Butch. Binde mir die Fesseln los. Wenn du zu Greg hältst, wirst du große Probleme bekommen. Gib zu, das haben wir doch alles nicht gewusst.«

»Vertrauen Sie Ramirez«, sprach Justus weiter auf ihn ein.

Butch trat von einem Fuß auf den anderen. Er betrachtete den Doktor, dessen Kichern inzwischen abgeklungen war. »Ich weiß nicht«, sagte Butch unentschlossen.

Da riss Gregstone das Gewehr an sich, das im Kampf zu Boden geschleudert worden war. »Butch!«, brüllte er und zielte auf ihn.

Butch wich einen Schritt zurück. »Mr Gregstone«, murmelte er. »Was soll das?«

»Fessle sie«, rief Gregstone, »fessle sie! Los, fessle sie, du Blödmann!«

Hilflos wanderte Butchs Blick zu Ramirez. Justus nutzte den Moment. Er wollte Gregstone endgültig aus der Fassung bringen. »Sie sind dumm, Gregstone, strohdumm. Ich bin hundertmal schlauer als Sie!«

Es war ein Volltreffer. Gregstone fuhr herum. Die Waffe in seiner Hand zitterte. »Sag das noch mal!«

»Sie sind strohdumm, Sir«, sagte Justus ruhig. »Entschuldigen Sie bitte meine Ausdrucksweise, aber ich muss den Zustand in Ihrem Gehirn ja wenigstens annähernd treffend beschreiben.« Justus grinste breit. »Sir, ich habe Ihnen nämlich noch etwas Wichtiges mitzuteilen: Wir haben die Computerchipplatte ausgetauscht.«

»Welche Chipplatte?«

»Die im Koffer, den Bob zum Satelliten bringen soll.«

»Das kann nicht sein!«

»Doch!« Justus blieb im Ton ganz sachlich. »Es war nicht schwer. Wir haben die Nummer des Kofferschlosses per Zufall rausgefunden. Wissen Sie, zwei – null – fünf – vier, das ist auch der Code für ihre Sicherungstüren in den Gängen. Ich habe Butch bei der Eingabe beobachtet, als er uns gefangen nahm. Und als Sie dann Peter und mir die Falle mit dem Koffer gestellt haben, habe ich die Kombination einfach ausprobiert und der Koffer ging auf. Haben Sie es nicht bemerkt? Das war Ihr Fehler! Nun kann Bob den Satelliten gar nicht mehr reparieren. Es ist alles umsonst, Doktor!«

»Nein«, sagte Gregstone ungläubig, aber auch erschrocken, »das kann nicht wahr sein! Wo wollt ihr denn den falschen Chip herhaben? Bob hat den Koffer doch geöffnet und es sah alles vollständig aus.«

»Der Abstellraum, Sir. Als Sie die Kisten auf uns geworfen haben. Zum Teil waren es Kisten der Herstellerfirma. Eine ging auf und da habe ich mir einen der Chips gegriffen.«

Gregstones Hand suchte nervös nach dem Joystick. »Und wo ist die richtige Platte, Justus?«, fragte er dann.

»Hier, hinten in meiner Tasche, Sir. Wenn Sie sich bitte herbegeben und überzeugen wollen ...«

Gregstone funkelte ihn an. »Aber halte die Hände oben!«

»Natürlich!«

Und Gregstone kam. Man merkte ihm die Unsicherheit an. Wie von Justus erwartet, beschäftigte ihn die Nachricht vom Austausch der Platten so sehr, dass er zwar noch auf Justus achtete, aber nicht mehr auf Peter. In einem günstigen Moment zwinkerte Justus seinem Freund zu und Peter nickte. Sie warteten, bis Gregstone nahe genug heran war.

»Achtung, Mr Gregstone, der Kontrollschirm ...«, sagte Justus ohne ein Zittern in der Stimme. Gregstone blickte sich kurz um. Als wäre es hundertmal eingeübt, schlug ihm Justus die Waffe aus der Hand, während Peter im gleichen Moment gegen den Doktor sprang. Gregstone kippte seitlich weg und rollte ein paar Meter über den Boden. Doch ehe er sich aufrichten konnte, hatte Justus das Gewehr bereits ergriffen. Auch Peter rappelte sich wieder auf. Ohne Gregstone aus den Augen zu lassen schnitt ihm Justus die Fesseln auf. Dann befreite Peter den Mexikaner. »Ramirez, sag Butch, dass er Gregstone zusammenbinden soll«, flüsterte er ihm ins Ohr. »Auf dich hört er.«

Ramirez nickte. »Fessle Gregstone, Butch«, sagte er bestimmt. »Aber ordentlich!«

Butch zögerte nur kurz. Der Lauf der Dinge schien auch in seinen Augen Justus und Ramirez Recht zu geben. Langsam ging er auf Gregstone zu und verschnürte ihm mit immer entschlossener wirkenden Bewegungen die Hände.

»Sie haben verloren, Gregstone«, erklärte Justus, während er Butch zusah. »Und wissen Sie was? Sie haben alles nur Ihrem Verfolgungswahn zu verdanken. Hätte uns Butch draußen in der Wüste Wasser gebracht und uns rausgeholfen, wären wir Ihnen nie auf die Spur gekommen. Selbst als Sie uns gefangen genommen hatten, wäre es kein Problem gewesen, uns loszuwerden. Aber Sie haben zu viel herumkombiniert und unseren Besuch für Absicht gehalten! So haben Sie sich selbst eine Falle gestellt.« Er machte eine Pause und blickte auf den Fernsehmonitor. Von Bob war nichts zu sehen. »Aber möglicherweise endet die Geschichte für Sie weniger tragisch als für uns«, fuhr er fort. »Sie verlieren nur einen Satelliten. Wir verlieren vielleicht unseren Freund.«

»Große Ideen verlangen ihre Opfer«, erklärte Gregstone starrsinnig.

Justus blickte ihn an. »Noch können Sie etwas tun. Holen Sie Bob wieder heil herunter.«

Gregstone schüttelte den Kopf. »Das Programm läuft ab wie ein Uhrwerk. Bob fliegt den vorgesehenen Plan.«

Ramirez schaltete sich ein. »Vielleicht kann ich noch etwas machen, Justus. Ich habe ja an der Programmierung mitgearbeitet. Aber die Startphase können wir nicht einfach so abbrechen. Und ich muss das am Computer erst einmal abchecken.« Er räusperte sich. »Weisst du, auf den Testflügen habe ich eben nicht hier unten gesessen, sondern in ›Masterplane‹.«

»Verstehe. Haben wir zurzeit eigentlich Kontakt zu Bob?«

»Nicht in der Startphase. Er wird ohnehin kaum ein Wort herausbekommen, da der Anschub zu stark ist«, antwortete Ramirez. »Aber in zwei, drei Minuten könnte sich was tun.« Er nickte Justus zu. »Eins muss man dir lassen: Dass du die Chipplatten ausgetauscht hast, war ein genialer Einfall.«

»Ich habe sie gar nicht ausgetauscht.« Justus musste lachen, als er Ramirez' ungläubiges Gesicht sah.

»Aber du hast doch gesagt ...«

»Pass auf: Als Gregstone Bob den Zahlencode durchgab, bestätigte er nur meine Vermutung: Zwei – null – fünf – vier. Diese Ziffernfolge hatte ich bereits bei Butch gesehen. Und dieser Zusammenhang gab eine für Gregstone glaubwürdige Erklärung dafür ab, dass wir den Code durch Zufall hätten finden können. Tja, und das mit den Computerplatten? Nun, ich habe im Abstellraum Kisten mit der Aufschrift einer Computerfirma gesehen. Also habe ich mir das schnell so zurechtgelegt. Es war alles ein Trick, auf den selbst ein so schlauer Mensch wie Mr Gregstone hereingefallen ist. Man muss ihn vorher nur kräftig an seinem wunden Punkt packen.«

»Und der wäre?«, fragte Butch, der dem Gespräch interessiert gefolgt war.

»Die Intelligenz«, sagte Justus.

Butch nickte heftig, doch aus seinem Blick was lesbar, dass ihm Justus' Bemerkung nicht ganz klar war.

»Wenn man ihm auf den Kopf zusagt, dass er dumm ist, flippt er aus«, erklärte Peter mit leicht genervter Stimme. »Verstehen Sie, Butch?«

»Klar«, sagte Butch. »Kein Problem.«

Gregstone warf ihm einen wütenden Blick zu. »Butch, du bist ein Totalversager«, sagte er.

»Mr Gregstone, so sollten Sie nicht mir mir reden«, entgegnete Butch und stemmte die Hände in die Hüften. »Ich lasse mir das nicht länger gefallen.«

»Das brauchen Sie auch nicht, Butch«, ergänzte Peter und

ging hinüber zu Gregstone. »Ich sperre den Doktor jetzt in die Toilette. Hier stört er nur.« Niemand widersprach ihm.

Während die beiden verschwanden, machte sich Ramirez am Computer zu schaffen. Justus schnappte sich währenddessen das Mikrofon und versuchte Kontakt zu Bob aufzunehmen. »Hoffentlich ist er okay«, murmelte er. Jetzt erst, nachdem Gregstone gefangen genommen war, überrollte ihn wie eine dunkle Welle der Schock, dass Bob tatsächlich gestartet war. »Hallo, Bob, bitte melden«, rief er mit zitternder Stimme in das Mikrofon. »Bob, bitte, hier spricht Justus. Wir haben die Lage hier unten im Griff. Hallo, Bob, melde dich!«

Doch niemand antwortete. »Ramirez, warum haben wir eigentlich kein Bild mehr von Bob?«, fragte der Erste Detektiv. Er hielt sich an der Tischkante fest, als hätte er nicht genug Kraft zum Stehen.

Ramirez sah von seinen Monitoren auf. »Dass muss noch mit der Startphase zusammenhängen«, murmelte er. »Eigentlich sollten Bild und Ton längst wieder da sein. Keine Angst, Justus, lange kann das nicht mehr dauern.« Er saß da, stützte den Kopf in die Hände und überlegte.

Auch Justus zwang sich zur Ruhe, obwohl ihm nach allem anderen zu Mute war. »Du hast Recht. Keine Hektik. Ich forsche weiter nach Bob ... Hallo, Bob, melde dich doch!«

Als Peter nach ein paar Minuten wieder auftauchte, hatte Justus immer noch keinen Erfolg gehabt.

»Und?«, fragte Peter, obwohl ihm der Anblick der zwei Jungen alles sagte.

»Nichts – hallo, Bob, Justus hier, bitte melden!« Entnervt zog Justus Peter heran. »Hier, übernimm du mal, Zweiter.«

Peter setzte sich ans Mikro. »Wie weit ist er schon?«, fragte er Ramirez, der weiter mit dem Computer beschäftigt war.

Ohne aufzublicken antwortete der Mexikaner: »Wenn alles gut gegangen ist, fliegt er jetzt in der Schwerelosigkeit.« Er studierte ein paar Kontrollinstrumente. »So meldet es jedenfalls der Computer. Schau, ich kann es dir an der Simulation zeigen.« Ein Bild leuchtete auf und Peter sah ein künstlich erzeugtes Bild des Raumschiffs, wie es an der Erde entlangglitt. Ramirez klickte ein Symbol an und die Innenansicht des Flugzeugs wurde sichtbar. Langsam schälte sich eine Figur aus dem Umfeld heraus. Sie schwebte durch das Cockpit.

»Viel kann man noch nicht erkennen, aber Bob ist das nicht«, sagte Justus, der sich über Peter gebeugt hatte.

Ramirez schüttelte den Kopf. »Nur eine Computerzeichnung.«

Die Figur gewann an Schärfe. Sie kam Justus seltsam bekannt vor. Sichtbar wurde ein etwas älterer Mann mit fülliger Statur und einem großen Kopf mit Halbglatze, herunterhängenden Wangen und Augenlidern, einem Cockerspaniel nicht ganz unähnlich. Trotz der angespannten Situation mussten Justus und Peter lächeln: Es war Alfred Hitchcock, ihr alter Förderer. Hoffentlich brachte ihnen sein Auftauchen endlich das nötige Glück.

»Ein kleiner Witz von mir«, murmelte Ramirez mit hochrotem Kopf. »Ich hatte mal aus Spaß ein Bild dieses bekannten Regisseurs einprogrammiert, aber im Augenblick kann ich ihn natürlich überhaupt nicht brauchen.« Schnell klickte er auf ein Symbol und Alfred Hitchcock löste sich in Luft auf. Peter blickte ihm sinnend hinterher. »Was hätte uns Alfred Hitchcock wohl in unserer Situation geraten?«, fragte er.

»Geduldig bleiben, Freunde«, sagte Justus, »und setzt eure Logik ein.«

»Aber die hilft uns doch auch nicht weiter!«, wollte Peter rufen, doch er stockte.

Denn plötzlich rauschte der Lautsprecher. Es war Bobs Stimme. »Hallo, Kollegen! Da bin ich wieder. Das meiste von euch da unten habe ich mitbekommen. Aber mir ist sauschlecht, einfach zum Kotzen.« Trotz einiger Störgeräusche war er klar und deutlich zu verstehen.

Erleichtert blickten sie sich an. »Bob, Mensch, alter Junge!«, jubelte Justus los und auch Peter stieß aus: »Du lebst! Sag schon, alles klar bei dir?«

»Na ja, wie gesagt, mir ist mordsübel«, antwortete Bob. »Ich weiß nicht mehr, wo oben und unten ist. Aber sonst ist eigentlich alles ganz wunderbar. Wie geht es denn jetzt weiter?«

Justus antwortete nicht und richtete einen fragenden Blick auf Ramirez. Der Mexikaner nickte. »Du wirst noch auf die Umlaufbahn geschickt«, rief er ins Mikro. »Das gibt noch mal einen richtigen Ruck. Dann sehen wir weiter.«

»Und wie lange dauert es dann noch bis zum Satelliten?«, fragte Bob. »Und vor allem: Was erwartet mich da?«

Justus druckste kurz herum. »Nichts Gutes. Am besten wäre es, du kämst gar nicht in seine Nähe.«

»Wegen der kaputten Laserkanone?«

»Du sagst es, Bob. Sie schießt unkontrolliert in der Gegend herum. Das mit dem amerikanischen und chinesischen Satelliten hast du dir ja bereits selbst zusammengereimt.«

Bob schwieg betroffen.

Ramirez griff wieder in das Gespräch ein. »So ist es, leider. Und der Flug ist genau auf den Satelliten programmiert. Ich weiß noch nicht, wie ich den Shuttle an Gregs Satelliten vorbeilenken soll. Ich versuche mein Bestes. Bob, als wir verschüttet wurden, hast du mich nicht hängen lassen, und ich tue es auch nicht.«

»Danke, Ramirez. Aber du verstehst, dass mich das alles nicht gerade beruhigt. Wie lange habe ich denn noch Zeit?«

»Bis du da bist: eine halbe Stunde. Aber beruhige dich, Bob. Ich arbeite daran.«

»Noch so einen Countdown halte ich aber nicht aus!«

Justus ging wieder dazwischen. Jetzt, wo er Bob beruhigen musste, war er wieder Herr seiner selbst. »Am besten, du schaust dir die Erde an«, versuchte er Bob abzulenken. »Sie muss doch toll aussehen.«

»Das tut sie. Wenn ich es nur genießen könnte. Alles blau. Wunderbar. Schätze, das ist der Pazifik. Ein bisschen weit weg, um hineinzuspringen.«

»300 Kilometer«, präzisierte Ramirez ohne von seinen Instrumenten aufzusehen.

»Was habt ihr eigentlich mit Gregstone gemacht?«, wollte Bob wissen.

Nun fühlte sich Peter angesprochen. »Er sitzt auf dem Klo. Gefesselt«, teilte er nicht ohne einen gewissen Stolz in der Stimme mit. »Justus und ich haben ihn überwältigt.«

»Klasse. Und Butch? Habt ihr diesen Muskelprotz gleich mitverschnürt?«

Peter hüstelte. »Butch war so, äh, intelligent einzusehen, dass Doktor Gregstone ein Verrückter ist. Jetzt ist Butch auf der richtigen Seite, nämlich bei uns.« Vorsichtig blickte Peter auf ihren ehemaligen Bewacher. Doch der ließ sich nichts anmerken und grinste ihn breit an.

»Ich gratuliere«, sagte Bob. »Moment mal.«

»Was ist?«, fragte Justus besorgt dazwischen.

»Der Shuttle wurde gerade ziemlich durchgeschüttelt.«

Ramirez drückte die Sprechtaste. »Du bist auf der Umlaufbahn«, sagte er. »Wenn du willst, kannst du dich abschnallen und die Schwerelosigkeit genießen.«

Doch schon gab es neue Nachrichten.

»Bob!«, rief Ramirez aus. Gebannt starrte er auf einen der Bildschirme, auf dem irgendwelche Texte durchliefen. »Ich glaube ...«, fuhr er fort.

Justus und Peter sahen ihn erschrocken an. Doch Ramirez strahlte.

»Das ist ja ... Tatsächlich! Der Satellit hat sich gerade selbst zerstört! Bob, jetzt bist du endgültig vor ihm in Sicherheit! Und runter bekommen wir dich schon irgendwie.«

»Der Laser kann Bob nicht mehr gefährden?«, fragte Justus erstaunt nach.

Ramirez schüttelte den Kopf. »Nein«, sagte er. »Er hat sich selbst getroffen. Jetzt kann ich den Landeanflug einleiten. In etwa 50 Minuten ist es so weit. Dann ist Bob einmal um die Welt geflogen.«

»Na also, alter Junge«, rief Justus erleichtert aus. »Fliegt der Kerl einfach mal um die Welt. Komm, Peter, hol schon mal was zu trinken. Das Abenteuer ist vorbei. Darauf stoßen wir an. Vielleicht einen Saft, oder eine Cola, ich habe einen Mordsdurst.«

»Cola geht nicht«, meldete sich Butch plötzlich wieder zu Wort. »Aber Limo ist kein Problem.«

»Na, dann nichts wie los, Butch!«

Butch verschwand und die Stimmung im Kontrollraum stieg. Nur Bob war unzufrieden. »Ihr feiert schon, aber ich bin noch lange nicht unten. Ich hätte auch gern was getrunken!«

»Wir haben noch das Leitungswasser unter den Schlafpritschen«, witzelte Peter. »Das heben wir dir auf.«

»Hahaha«, sagte Bob. »Das könnt ihr euch ...« Plötzlich brach der Satz ab. Nur noch ein Rauschen war zu hören. Auch das Bild aus dem Inneren der Kapsel verschwand. Der Bildschirm flimmerte.

# Zwei

»Was ist passiert, Ramirez?«, fragte Justus erschrocken. Sein Übermut war augenblicklich wie weggeblasen.

Ramirez zuckte mit den Schultern. »Wenn ich das wüsste ... Hoffentlich ist nichts außer Kontrolle geraten.«

»Wieso außer Kontrolle?«, hakte Peter nach. »Ich denke, du hast jetzt alles im Griff?«

Ramirez kratzte sich am Kopf. »Na ja, schief gehen kann immer etwas. Das Raumschiff kann von Weltraummüll getroffen werden. Weißt du, Teilchen früherer Satelliten, die da noch herumkreisen. Oder ein Meteorit.«

Justus wurde blass. »Aber was sagt denn der Computer?«

Ramirez war bereits dabei, verschiedene Möglichkeiten zu prüfen. »Eigentlich scheint alles noch funktionstüchtig zu sein«, sagte er. »Der Shuttle ist auf dem Schirm, kein Alarm ...«

Peter hatte eine böse Ahnung. »Ich schau mal, ob Gregstone noch eingeschlossen ist«, sagte er. »Ich habe da so ein dummes Gefühl.«

In der Tür prallte er mit Butch zusammen, der in den Händen vier Flaschen Zitronenlimonade schwenkte. »Die Party kann steigen«, rief er fröhlich. Verwundert bemerkte er die entsetzten Gesichter. »Ist irgendetwas?«, fragte er.

»Bob meldet sich nicht mehr«, erklärte Ramirez. »Und wir wissen nicht, woran es liegt.«

»Vielleicht hat er Probleme«, sagte Butch besorgt.

»Ach ja? Danke für den Tipp, Butch!« Eilig verließ Peter den Kontrollraum. Doch bereits nach wenigen Sekunden war er wieder da.

»Gregstone ist abgehauen«, erklärte er tonlos. »Die Toilette ist leer. Er hat sich befreit und treibt sich irgendwo herum. Keine Ahnung, wo.« Er kam herüber zu Justus, der immer noch vor den Kontrollgeräten stand. »Und, was ist mit Bob?«

»Noch kein Kontakt«, antwortete Justus. »Ob Gregstone dahinter steckt?« Er schnappte sich das Gewehr, das an der Wand lehnte. »Sicherheitshalber«, sagte er. »Zuzutrauen ist dem Doktor alles.«

»Das schon.« Ramirez sah ihn nachdenklich an. »Aber der Computer ist nur von hier aus bedienbar. Oder vielleicht . . .« Er zögerte. »Der Computer in der Cafeteria, da hat er sein Spiel drauf installiert. ›Master of the Universe‹!«

»Na dann nichts wie los«, rief Peter. »Gib mir das Gewehr, Justus! Wenn der mir noch mal zwischen die Finger kommt . . .«

Nachdem Peter wieder verschwunden war, war eine Zeit lang nur das leise Rauschen aus dem Lautsprecher zu hören. Es herrschte bedrücktes Schweigen. Justus bearbeitete still seine Unterlippe, während Ramirez ausdruckslos auf seine Kontrollinstrumente starrte.

Da knackte plötzlich der Lautsprecher.

»Bob!!!«

»Ja, Just?«

»Du bist's? Es ist . . . deine Stimme! Wieso, so plötzlich . . . alles okay?«

»Klar, Justus. Es geht mir prächtig! Wirklich. Ich hatte nur mal Mikro und Bild ausgeschaltet, damit ich endlich in Ruhe den wunderschönen Flug genießen kann. Die Schwerelosigkeit und die Erde. Es ist wirklich traumhaft schön hier. Wenn ich schon mal im Weltraum bin. Es ist nämlich das Größte, Just, wirklich das Größte.«

Dem Ersten Detektiv fehlten die Worte. »Du . . . du hättest uns Bescheid sagen sollen«, sagte er endlich. »Du hast uns tierisch erschreckt.«

»Ich wollte euch auch mal ein bisschen Nervenkitzel gönnen. Wo ihr euren dritten Detektiv doch dauernd von einer Katastrophe in die nächste geschickt habt . . .«

Justus schluckte. In der Tat hatte er ein schlechtes Gewissen. »Ja, Bob, ich entschuldige mich bei dir.«

»Okay. Könnt ihr Helden jetzt bitte dafür sorgen, dass ich wieder heil runterkomme? Ich finde es ja wirklich nett hier oben, aber ich habe keine Lust nach der Landung das beste Stück auf Titus' Schrottplatz zu werden!«

Ramirez lachte. »Ganz ruhig, Bob. Ich dachte schon, Greg hätte uns doch noch einen Strich durch die Rechnung gemacht, aber jetzt kann fast nichts mehr schief gehen. Wir holen dich schön sachte runter.«

Der Salzsee lag noch im Schatten, doch lange würde es nicht mehr dauern, bis die Morgensonne auch ihn mit ihrem warmen Licht überflutet hatte. Denn die ersten Strahlen waren gerade über die am Horizont liegenden Sanddünen gefallen und tauchten den kleinen Höhenzug bereits in helles Licht. Von den Temperaturen her war es noch sehr angenehm, fast ein wenig kühl, doch die schnell hochsteigende Sonne ließ bereits ahnen, dass es wieder ein sehr heißer Wüstentag werden würde.

Justus und Peter hatten die unterirdische Anlage durch ein Geheimtor verlassen, das Butch ihnen geöffnet hatte. Ramirez hingegen war im Kontrollraum geblieben, um die Landung von Bob möglichst lange zu begleiten.

Jetzt standen die beiden Detektive angespannt auf dem trockenen Boden, ein Stück abseits des verfallenen Betonhauses, das sie am Abend zuvor in ihr Abenteuer geführt hatte.

Konzentriert suchte Justus mit den Augen den Horizont ab, auf der Suche nach dem Shuttle. »Noch nichts zu sehen«, murmelte er. »Und wo Gregstone wohl steckt? Hoffentlich hat er nicht noch irgendeine Gemeinheit auf Lager.«

Peter hatte die Hand an die Stirn gelegt und blinzelte in die Sonne. »Ramirez hat sich zum Glück von innen eingeschlossen, sonst würde er bestimmt noch eine böse Überraschung erleben.«

»Ich glaube, das ist Bobs Maschine«, sagte Justus und deutete in den Himmel.

Tatsächlich war ein kleiner Punkt zu sehen, der bald größer wurde, bis die beiden Detektive das Flugzeug schließlich erkennen konnten. Es flog bereits sehr tief und hielt direkt Kurs auf den Salzsee.

»Wenn Bob nur die Kiste heil herunterbekommt«, sagte Peter. »Nicht auszudenken, wenn jetzt noch etwas schief gehen sollte.«

»Ramirez hilft ihm und Bobs Computerspielerfahrung wird ebenfalls bei der Steuerung nützlich sein«, antwortete Justus. Sie sahen, wie der Raumgleiter näher kam. Die Luft war still, deutlich hörten sie die Triebwerke. »Da, schau, er setzt zur Landung an – die Hinterreifen zuerst, perfekt – es staubt ja gewaltig – er hat es geschafft, Peter, er hat es geschafft!«

Das Flugzeug rollte aus und kam wenige hundert Meter entfernt zum Stehen.

»Eine Landung ohne Probleme«, kommentierte Butch trocken und wandte sich ab. »Ich gehe mal den Geländewagen holen, damit wir hier schnell verschwinden können.«

Die Tür des Flugzeugs öffnete sich und Justus und Peter rannten los.

Ein paar Minuten später begrüßten sie ihren Freund mit Jubelgeschrei zurück auf der Erde.


»Ein bisschen hat er uns jetzt ja voraus«, sagte Peter zu Justus, als sie zum Geländewagen zurückgingen, den Butch inzwischen vor das Gebäude gefahren hatte. Bob hatten sie in ihre Mitte eingehakt, da sein Schritt noch ziemlich unsicher war. »Er ist der Einzige von uns, der die Erde verlassen hat.«

»In ein paar Jahren bietet das jedes Reisebüro an«, sagte Justus lakonisch. »Dann machen wir's auch.«

Die Gleichgewichtsstörungen ließen Bob fast über seine eigenen Füße stolpern. »Aber etwas weniger spontan als ich solltet ihr die Sache schon angehen«, sagte er, »ich bin durch die Aufregung bestimmt um Jahre gealtert. Schaut, da kommt Ramirez!«

Der Mexikaner war inzwischen aus der unterirdischen Anlage herausgekommen und den drei ??? entgegen geeilt. Bobs letzte Worte hatte er mitbekommen. »Eigentlich altert man ja langsamer im Weltraum«, sagte er lächelnd. Dann gratulierte er Bob zu seiner sicheren Rückkehr.

Justus indes war bereits am Rechnen. »Stimmt, Ramirez, im Weltraum bleibt man jung. Das so genannte Zwillingsparadox. Einstein hat's herausgefunden. Es liegt an der Geschwindigkeit und daran, dass man das Schwerefeld der Erde verlässt.« Er zog an seiner Unterlippe.

Ramirez sah ihn erstaunt an, doch Peter und Bob kannten ihren Freund besser. Ihnen war klar, dass Justus bereits in Kürze stolz mitteilen würde, um wie viel Zeit Bob sie nun altersmäßig vor sich gelassen hatte.

»Tja, Bob, du hast die Erde umrundet, das war alles etwa ... nun ... ja, und die Geschwindigkeit, also, du dürftest etwa um ganze 0,000002124 Sekunden weniger gealtert sein als wir!« Pfiffig blickte er die anderen an. »Das lässt sich doch noch verkraften, was Peter?«

Bob lachte. »0,000002124 Sekunden? Hast du dich da auch nicht mit den Nullen vertan?« Er legte die Stirn in Falten. »Nun, ich glaube nicht, dass das als Ausgleich für den ganzen Stress reicht.«

Peter betrachtete Bob kritisch von oben bis unten. »Nein«, stellte er fest. »So wie du aussiehst, reicht das nie und nimmer!«

»Blödmann!« Bob boxte ihn in die Rippen.

In dem Moment wurden sie durch ein lautes Dröhnen unterbrochen. Erschrocken drehten sich die Jungen um. Sie sahen, dass das Flugzeug langsam wendete und Kurs auf den Salzsee nahm.

»Gregstone«, sagte Ramirez tonlos. »Er hat sich zum Shuttle durchgeschlagen und haut ab. Schätze, dass der Treibstoff ausreicht, um ihn ein ganzes Stück weit wegzubringen.« Die Triebwerke röhrten los und das Flugzeug hob ab. Peter sah ihm nach. »Ich bin gespannt, was sich der Doktor als Nächstes einfallen lässt, um seinen Größenwahn auszuleben.« »Ich denke, die schlimmsten Zähne sind ihm erst mal gezogen«, sagte Justus.

»Ist jetzt sowieso nicht unser Problem«, rief Butch. »Verschwinden wir! Euren kaputten Wagen lassen wir später abholen. Jetzt geht's nach Rocky Beach an den Strand!« Er drehte den Zündschlüssel und augenblicklich sprang der Jeep an. Die drei ??? stiegen ein. Ramirez klemmte sich zwischen Peter und Bob auf die Rückbank. »Weiß jemand einen guten Job für mich?«, rief er, als Butch den Wagen anfuhr.

»Im Filmstudio suchen sie einen Softwarespezialisten für Spezialeffekte«, erinnerte sich Peter. »Das kriegen wir schon hin. Aber zuallererst gratulieren wir Onkel Titus und Tante Mathilda zum großen Gewinn des Rock-'n'-Roll-Preises!«

Die Tür zur Zentrale der drei ??? ging auf und Butch trat ein. Er trug eine Tüte in den Händen. »Fünf Eis!«, rief er freudig, »Ich habe sie von Tante Mathilda bekommen. ›Für jeden eins‹, hat sie gesagt.«

Justus lächelte und wartete, bis sich Bob, Peter und Ramirez ihr Eis ausgesucht hatten, dann packte er auch seins aus. »Hmm, Vanille«, sagte er und hielt es hoch.

»Ich stehe auf –«, mit einem Plumps fiel Butch auf einen der Sessel, »– Himbeere!«

»Kein Problem, Butch!« Justus schleckte bedächtig und strich dann die Zeitung glatt. »Also hört zu«, sagte er. Gespannt ruhten alle Augen auf ihm.

Und langsam, immer wieder unterbrochen von einem Zungenschlag Eis, begann Justus vorzulesen:

## SATELLITENKRISE: PRODUKT EINES VERRÜCKTEN FLUGZEUG-BAUERS?

*Rocky Beach. Drei Jungen, die sich »Die drei ???« nennen, haben mit ihrer Behauptung, die vermissten amerikanischen und chinesischen Satelliten seien von einem verrückten Flugzeugbauer abgeschossen worden, für einige Verwirrung gesorgt. Ein Sprecher des Verteidigungsministeriums erklärte, man werde selbstverständlich alles sorgfältig prüfen, aber wahrscheinlich handele es sich um die überhitzte Fantasie von drei Jugendlichen. Unser Korrespondent in Rocky Beach, Mel Andrews, hat sich jedoch von den drei ??? die ganze Geschichte erzählen lassen. Unsere Leser finden sie exklusiv ab Seite 7 unter der Überschrift »Todesflug«.*

# Liebe ???-Leserin, lieber ???-Leser,

ab sofort findest du in jedem neuen ???-Buch einen Sammelpunkt zum Ausschneiden. Sobald du

## 7 Punkte

gesammelt hast, bekommst du ein **tolles Überraschungsgeschenk**, das dich als Mitarbeiter im ???-Team ausweist. Neugierig geworden? Dann los! **Den ersten Sammelpunkt findest du bereits auf dieser Seite!**

Viele Grüße aus Rocky Beach
von Justus, Peter und Bob.

**Und so wird's gemacht:**
1. Die Sammelpunkte ausschneiden.
2. Sieben Sammelpunkte auf eine Postkarte kleben.
3. Deinen Namen, deine Adresse und dein Alter nicht vergessen!

Dann schickst du die Postkarte an folgende Adresse:

**Kosmos Verlag**
**Programm Kinder- und Jugendbuch**
**Postfach 10 60 11**
**70049 Stuttgart**

Wir freuen uns auf deine Einsendung!